中國故事

Zhongguo gushi

Cuentos chinos

中國故事
Zhongguo gushi

Cuentos chinos

Edición y traducción de
Josefina Ramón

Caparrós Editores

© de la traducción: Josefina Ramón, 2025

© 2026, CAPARRÓS EDITORES, S.L.
Bayona, 10 - 2.º izda. • 28028 Madrid
Teléfono: +34 635 294 690
Correo electrónico: info@caparroseditores.com
http://www.caparroseditores.com

Maquetación: LA FACTORÍA DE EDICIONES • www.lafactoriaediciones.es

ISBN 978-84-96282-33-9

Depósito Legal: M-6901-2026

Impreso en España – Printed in Spain

Podiprint • www.podiprint.com

Voces de papel... Frente a los temores a lo desconocido, a los seres humanos que llegan desde lejos, trayendo consigo colores nuevos y sonidos incomprensibles, brota la idea de poner a disposición del lector inquieto un corpus de textos cuidadosamente editados en versión bilingüe que sirvan de puente entre culturas.

Escuchar la voz de hombres y mujeres que, a lo largo de los siglos, han consagrado la propia existencia a la labor infinita del diálogo, conocer sus matices y armonías, participar, aunque sea por un instante, de su realidad, ayudará a acercar, comprender, confiar, crear...

¡Que las voces de papel os traigan una sonrisa!

LOS EDITORES

DEDICATORIA

A una pequeña niña china
sin nombre ni sonrisa,
que encontré una noche de invierno frío,
sentada en el suelo,
con mal abrigo y menos cariño,
atado su pie a un bote, sin pan, ni leche,
pidiendo limosna.
Estaba junto a un hermoso lago azul y verde
en el sur de China...
y la noche era bella.
Para ella y por ella para todos los niños que,
como ella,
por culpa de los mayores,
no tendrán quien les cuente un cuento
ni les devuelva la sonrisa.

ÍNDICE

Ante un mundo que actualmente mira a China como la fuente del comercio, la mina de los productos de bajo coste o la veta preciosa de la que conseguir riquezas de modo fácil y rápido; he aquí una humilde contribución para mostrar el otro lado de China, a mi juicio el de más valor, el del corazón. Frente al escaparate del mundo en el que están convirtiendo a China, me complace presentar la China mágica y mística, la China profunda, que aún sigue viviendo, detrás del desenfrenado comercio y consumismo.

Cada pequeño cuento son gotas de la savia de un árbol que aún sigue vivo en esta tierra. Porque a pesar de la falsa luz del brillo del dinero y del progreso, el auténtico valor del pueblo chino y su fuerza, no se encuentra en el aparente y vertiginoso desarrollo económico, sino en la sabiduría de un pueblo en el que siempre han prevalecido lo profundo sobre lo superficial, lo espiritual sobre lo material, lo oculto y mágico sobre lo aparente.

Estos pequeños cuentos o historietas de la cultura china son como los *dian xin* 点心, pequeños pastelillos, salados, dulces, de carne, pescado o verdura... típicos en el GuangDong 广东 para el desayuno en familia, o en cualquier momento del día en que se sienta un poco de hambre. Porque éstos más que saciar, tienen la virtud de satisfacer el paladar y de hacer disfrutar la comida, a la vez que se desea comer más, porque los hay de una gran variedad. De la misma manera espero que al leer estos cuentos, además de degustarlos, deseen conocer mucho más de la cultura china. Porque toda ella está llena de esta magia, todo en ella tiene vida, todo tiene alma, las montañas, los ríos y lagos, las fiestas, hasta las letras son vivas.

Merece la pena entrar en este mundo de fantasía y belleza. Porque conocerlo es respetarlo y, de alguna forma, preservarlo del olvido, porque no sólo la naturaleza o los animales, como el oso panda, hay que proteger, por encima de todo está el ser humano, que hace historia y cultura, y defendiendo su pensamiento, cuidamos también de él.

Esperemos que la generación futura no se pierda este tesoro cultural, ni ofuscado por lo material deje de ver la belleza que, por miles de años, ha construido este pueblo.

中国丝绸

ZHONGGUO SICHOU

杭州是丝绸的故乡。丝绸又柔软又漂亮，是用蚕吐出的丝织成的。那杭州的人们是怎样开始养蚕的呢？

很久很久以前，杭州有个小姑娘，名字叫阿巧，她又聪明又能干。九岁的那年，她妈妈就死了，爸爸给她和弟弟找了一个后妈。这个女人可坏了，阿巧姐弟受她虐待，经常吃不饱，穿不暖。

有一年的冬天特别冷，后妈又让阿巧出去打草回来喂羊。阿巧背着一个大筐走出了家门，可是哪里有什么草呢？

Hangzhou[1] es la cuna de la seda. Ésta es suave, tersa y hermosa, y se obtiene usando el hilo que se forma de la saliva de un gusano, conocido como gusano de la seda. ¿Pero cómo empezó la gente de Hangzhou a criar estos gusanos? Pues verán.

Hace mucho, muchísimo, tiempo había en Hangzhou una niña llamada Aqiao. Era muy inteligente y hábil. Pero cuando tenía nueve años murió su mamá, y su papá volvió a casarse para que ella y su hermanito tuviesen otra mamá, pero desgraciadamente la madrastra era muy mala y, tanto Aqiao como su hermanito, sufrían mucho porque ella los maltrataba, normalmente les daba poco de comer, y cuando hacía frío poca ropa para abrigarse.

Un año hubo un invierno tremendamente frío, la madrastra de Aqiao la mando salir de casa para coger hierba con que alimentar a las ovejas. Aqiao cogió un gran cesto y salió de la casa, pero ¿dónde podría encontrar la hierba?

---

1. Hangzhou es la capital de la provincia de Zhejiang, al sur de Shanghai. Es una de las ciudades más verdes y bonitas de China; siendo una de las más visitadas por los turistas. Es el centro de la industria de la seda y del té.

地上都冻得硬邦邦的。阿巧找啊找啊，一直找到天黑也没有找到一根草。她又急又怕，怕回家又要挨后妈的打骂。她累得走不动了，就坐在山坡上哭了起来。

哭着哭着，突然有一支白头小鸟在她身边飞来飞去，嘴里还在叫着：

"要割青草跟我来！"

说完，就向山里飞去。阿巧半信半疑地跟在后面。小鸟飞阿飞阿，突然拐过一个弯儿不见了。阿巧只好停下来。这时奇迹出现了：一颗郁郁葱葱的老松树下开着美丽的花儿，地上长着清清的小草，还有一条小溪欢快地流淌着穿过草地。阿巧看到这些景致，高兴极了，她连忙弯下腰，开始割起草来，不知不觉已经走出了很远很远。

Toda la tierra estaba helada y endurecida. Aqiao buscó y buscó por todas partes, sin parar hasta que se hizo de noche, sin haber encontrado nada que coger. Estaba nerviosa y con miedo, miedo a volver a casa porque tendría que soportar los maltratos de su madrastra. Estaba tan cansada que no podía ni moverse, así que se sentó en la ladera y comenzó a llorar. Lloraba y lloraba, hasta que, de repente, un pajarito blanco comenzó a revolotear a su lado mientras le oía decir:

—¡Si quieres coger fresca hierba ven conmigo!

En cuanto dijo esto alzó el vuelo.

Aqiao, aunque medio dudando, siguió detrás de él. El pajarito volaba y volaba... y, de repente, en una curva desapareció. Aqiao, entonces, se detuvo. De repente, ante sus ojos, apareció algo maravilloso: un viejo y frondoso pino con hermosas flores abriéndose, la tierra llena de verde hierba fresca; además había un pequeño riachuelo, que alegremente atravesaba el prado. Aqiao, en cuanto vio este paisaje, se puso muy contenta.

Rápidamente se inclinó y comenzó a coger la hierba. Cogía y cogía... y, sin darse cuenta, ni saber cómo, fue caminando sin parar hasta llegar lejos, muy lejos.

阿巧割累了，站起身来，看见远处有一个穿白衣白裙的姑姑挎着一个篮子，正招手让她过去呢。阿巧跑过去，看见了一排整齐的白房子，一片繁茂的绿树林，还有好多穿白衣白裙的年轻姑姑在摘树叶。姑姑问：

"小姑娘，你喜欢这里吗？"
阿巧点点头。
"那你就留在这儿住几天吧"。

就这样，阿巧留了下来。

她每天跟着白衣姑姑们去采鲜嫩的树叶，回来以后，用这些树叶喂雪白的小虫。这些小虫吃了树叶以后，长得特别快，不久就吐出又细又长的亮闪闪的丝，结成一个个白花花的小屋子，把自己关在里面。

阿巧觉得有意思极了，就又跟着白衣姑姑学了很多东西。

Al final Aqiao se sintió muy cansada, y se incorporó un momento, entonces vio que, a lo lejos, había una señora con un vestido blanco que llevaba al hombro un cesto, ésta comenzó a hacerle gestos con la mano, llamándola para que se acercase. Aqiao fue corriendo, entonces, descubrió una fila de blancas casas muy bien ordenadas, y un grandísimo y frondoso bosque; además de muchísimas mujeres jóvenes, vestidas de blanco, que cogían hojas. La señora le preguntó:

—Pequeña, ¿te gusta este lugar?

Aqiao asintió con la cabeza.

—Entonces, puedes quedarte con nosotras unos cuantos días.

Dicho y hecho, Aqiao se quedó con ellas. Todos los días acompañaba a la señora y a las demás jóvenes vestidas de blanco a coger las frescas y suaves hojas verdes, y cuando regresaban usaban las hojas para alimentar a unos gusanitos blancos como la nieve. Estos pequeños gusanitos después de alimentarse con las hojas hacían algo muy extraño. Empezaban a escupir un largo hilo brillante con el que formaban una pequeña casita, como un capullo blanco, encerrándose ellos mismos dentro de él.

Aqiao estaba encantada, y pudo aprender muchísimas cosas acompañando a la señora vestida de blanco.

姑姑告诉阿巧：这些小虫叫天虫，它们吃的那些树叶叫桑叶。

它们吐出来的这些丝线是天女门给玉皇大帝绣龙袍用的"。

转眼间三个月过去了，阿巧想把弟弟也接来，让他一起过好日子。一天清早，她独自离开了这里。临走的时候，她怕找不到回来的路，就采了一些桑果撒在路旁做路标。她还抓了几只天虫，打算拿回去让家里人看看。

阿巧回到家里一看，一切都变了样：爸爸老了，那个坏心肠的后妈死了.

弟弟已经长成了一个小伙子，而阿巧自己还是一个小姑娘。原来，阿巧去的地方是仙境，那里的三个月就等于人间的十五年哪！

La señora dijo a Aqiao:

—Estos pequeños gusanos se llaman gusanos celestes y las hojas de árbol que comen son hojas de morera. El hilo, que sale de la saliva que escupen, es usado por las doncellas celestes para bordar la capa imperial del emperador.

Así, en un abrir y cerrar de ojos, pasaron tres meses. Aqiao pensó en ir y traer con ella a su hermanito, para que juntos pudiesen vivir felices.

Un día se levantó muy temprano y se dispuso a salir de allí, pero antes de partir, temiendo que no encontrase el camino de regreso, cogió unas cuantas moras (las frutas de la morera) y fue esparciéndolas, marcando con ellas el camino. También cogió algunos de los gusanos celestes, porque quería enseñárselos a su familia al regresar.

Pero cuando llegó a su casa se sorprendió de que todo estuviese tan cambiado. Su padre era ya anciano, y la malvada madrastra había muerto.

Su hermano pequeño ya era un apuesto muchacho, mientras que ella todavía era una niña. Lo que había sucedido es que el lugar donde había estado Aqiao era la tierra de los inmortales; y allí, ¡tres meses equivalían para los hombres a quince años!

阿巧在家里住了一些日子，又开始想念山里的白衣姑姑门，就决定回到山里去。她一路走去，发现自己撒下的桑果已经长成了一片桑树林。她走过来又走过去，怎么也找不到回去的路了。正当她觉得奇怪的时候，那只白头鸟又飞来了，它一声又一声地叫喊：

"阿巧偷东西！阿巧偷东西！"

阿巧心想：

"一定是姑姑们以为我偷了她们的东西，生气了，就把路藏起来，不让我回去了"。

她很后悔，可是已经没有办法了。她只好回 到家里，每天像姑姑们那样, 彩嫩树叶喂天虫, 让它们慢慢儿长大, 抽丝。

Aqiao estuvo en casa unos cuantos días, pero empezó a acordarse de las mujeres vestidas de blanco, entonces, decidió regresar a la montaña.

Así, tomó el camino y comenzó a caminar, entonces, descubrió que las frutas de la morera que había esparcido ella misma, habían crecido de tal manera que ahora era un bosque de moreras. Aqiao caminaba de aquí para allá, pero le era imposible encontrar el camino de regreso.

En aquel preciso momento, de repente, sintió algo extraño, era el pequeño pajarito blanco que volando se le acercó y, con fuerte voz, gritaba y gritaba:

—¡Aqiao es una ladrona! ¡Aqiao es una ladrona!

Aqiao pensó en su corazón:

Será, tal vez, que las señoras se han dado cuenta que les robé y están muy enfadadas... por eso habrán ocultado el camino para que yo nunca pueda regresar con ellas.

Ella estaba muy arrepentida, pero ya no tenía remedio. Regresó, entonces, a su casa y cada día, como hacían las señoras, alimentaba a los gusanos celestes con las suaves hojas de morera, haciendo que lentamente creciesen y de ellos brotase el fino hilo brillante.

阿巧带回来的这几只天虫长大，人们为了方便，后来就把"天虫"两个字连起来念成"蚕"。就这样，人间的杭州就成了丝绸的故乡。

Los gusanos celestes que Aqiao había traído habían crecido mucho, entonces la gente para llamarlos de forma más práctica, de los dos caracteres «天虫» *tianchong* formaron sólo uno 蚕[2] *(can)*. Indicando que esos gusanitos son celestes. Así, Hangzhou se convirtió en el hogar de la seda en la tierra.

---

2. El carácter está formado por los caracteres chinos de 天 *tian* que es cielo y 虫 *chong*, gusano. Es común en la escritura china la formación de palabras combinando dos o más caracteres. En este caso, al gusano normal, se le ha puesto encima el carácter del cielo, para hacer saber que se trata de un gusano celestial 蚕 *can*.

岳阳楼

YUEYANG LOU

在洞庭湖边，有一座雄伟美丽的岳阳楼。站在岳阳楼上，可以看见美丽的湖景。古老的岳阳楼是在一千四百多年前建造起来的。那时候，岳州的贵族们为了欣赏洞庭湖的美丽景色，驱使木工，瓦匠和农民来造岳阳楼。

成千的手艺人和农民住在破烂的草棚里，吃着用杂粮煮的稀饭，天没亮就干活儿，直到星星出来才能休息，生了病也没有药，日子过得很艰苦。

一天傍晚，大家正在做苦工的时候，有一个行人沿着湖堤走过来。那人穿着黑衣服，身上还背着一个葫芦，他一边走，一边无忧无虑地唱着山歌。

Junto al lago Dong Ting (Hunan), hay una enorme y esplendida torre. Y desde esta grandiosa torre se puede contemplar el hermoso paisaje del lago. Esta torre fue construida hace más de mil cuatrocientos años.

En aquel entonces los nobles de Yue Zhou para poder disfrutar del bello paisaje del lago, obligaron a los albañiles y artesanos de la aldea a construir esa gran torre.

Los miles de artesanos y campesinos que trabajaban vivían en viejos y desgatados cobertizos hechos de paja y únicamente comían una aguada y pobre sopa de legumbres. Antes de que saliese el sol ya estaban trabajando. Trabajaban sin descanso hasta que salían las estrellas. Si alguien se enfermaba no tenían medicinas que darle, la vida para ellos era realmente dura y triste.

Un día al atardecer, cuando todos estaban realizando su duro trabajo, un caminante desconocido pasó alrededor del lago. El desconocido vestía todo de negro y llevaba colgada una calabaza mientras, cantando despreocupado, caminaba.

他走到干活儿的人们面前，停下了脚步，笑着说："我错过了旅店，众位乡亲能不能留我住一晚上？"。

大家见这个人态度和蔼，而且附近确实也没有旅店，就答应了他。

黑衣客人很高兴，就动手帮大家做工。他扎起布衫，用刨子在粗大的木头上一推，只听到"沙沙沙"一阵响，就刨下了一大堆刨花，那木头刨得又光又平。木工们看了不禁称赞道："这真是神仙的手艺啊！"。

这时，茅棚里传来了一阵哭声，原来是一个小木工被石灰烧坏了眼睛。黑衣客人一听，马上来到茅棚里。

Así, fue caminando hasta donde estaban trabajando y deteniéndose delante de ellos, sonriendo, les dijo:

—Amigos, no tengo dónde hospedarme, ¿me podrían alojar ustedes por una noche?

Todos asombrados por la actitud y los modales de este hombre y sabiendo que, por los alrededores, no había ningún lugar para hospedarse, decidieron aceptarlo.

El hombre vestido de negro se puso muy contento y poniéndose manos a la obra empezó a ayudarles en su duro trabajo. Comenzó a picar; con la garlopa, se puso a pulir los gruesos troncos de madera; por un tiempo solamente se escuchaba el sonar del: «*sha sha sha*» al cepillar la madera; ésta quedaba tan lisa y pulida que los carpinteros, al verla, no podían dejar de elogiar su trabajo:

¡Realmente tiene mano de genio!

En aquel momento, del cobertizo, se dejó oír un sonido de lamento, era de un pequeño carpintero que se había quemado los ojos a causa de la cal. El hombre vestido de negro, en cuanto lo oyó, inmediatamente corrió hasta él entrando en el cobertizo.

他从葫芦里掏出一颗金色的小药丸，让小木工吃下去，还喃喃地自语："小药丸，金闪闪，能除百病除灾难"。

不一会儿，小木工就大声喊道："我的眼睛好了！"。黑衣客人又掏出一些药丸送给小木工，让他分给那些有病的人。

吃晚饭的时候到了，人们把稀粥分给黑衣客人，他吃了一口，说："你们就吃这样的东西，怎么会有力气干活儿呢？"他不等大家回答，就在地上抓了一把木屑，塞进葫芦里，摇了几摇，嘴里念道：

"葫芦瓜，把头摆，快把白米送过来"

Entonces, metió la mano en su calabaza y sacó una píldora dorada y se la dio al pequeño carpintero, para que se la tomara, mientras murmuraba para sí mismo:

—Pequeña píldora, de oro resplandeciente, que quita toda enfermedad y toda desgracia.

No había pasado mucho tiempo cuando se escuchó al pequeño carpintero, que gritaba de alegría:

—¡Mis ojos se han curado!

El hombre de negro sacó unas cuantas medicinas y se las dio al pequeño carpintero para que se las pudiese dar a los demás trabajadores, cuando estuviesen enfermos.

Cuando llegó el momento de cenar la gente le sirvió al visitante de negro una parte de su sopa aguada, él en cuanto la probó dijo:

—¿Si toman esta cosa como podrán tener fuerzas para trabajar?

Y, sin esperar respuesta, cogió unas virutas de madera y llenó con ellas su calabaza, después la agitó varias veces mientras susurraba:

—Calabaza… calabaza… calabaza muéstranos tus cereales… y, pronto de ti, salgan blancos granos de arroz.

只见他把葫芦往木板上一倒，珍珠似的白米"哗哗"地流了出来。工匠们又惊又喜，连忙拿去做饭。

黑衣客人又尝了尝工匠们的菜，又酸又臭，他说："你们吃这样的菜，是要生病的"。说完，他又抓了一把刨花，撒进湖里，嘴上又念道：

"洞庭湖，浪滔滔，万千银鱼没人捞"。

说也奇怪，那刨花刚落到湖里，就变成银白色的小鱼，成千上万，在碧绿的湖水中游来游去。工匠们高兴地叫了起来，纷纷去捞银鱼。客人又告诉他们烹调方法。

En un instante volteo la calabaza sobre la tabla y al sonido como de agua corriendo: «*hua... hua... hua*», dejó caer arroz, como si de blancas perlas se tratase.

Los trabajadores se quedaron sorprendidos y asustados, a la vez que muy contentos, y fueron corriendo a cocinarlo.

El hombre de negro probó la verdura de los trabajadores y la notaba mal oliente y ácida, entonces dijo:

—Si ustedes cocinan así su verdura, no me extraña que se enfermen.

Dicho esto, cogió unas virutas y las echó al lago Dong Ting, mientras murmuraba:

—Lago Dong Ting, olas caudalosas, salgan miles de peces de plata que nadie pueda atrapar.

Parecía increíble, pero las virutas que terminaba de echar en el lago se habían convertido en plateados pececillos, miles y miles, que en un agua verde azulada se movían de aquí para allá dentro de su calabaza. Los trabajadores se llenaron de entusiasmo atrapando, sin orden, la marea de plateados pececitos.

Rápidamente, el hombre de negro les indicó la forma de cocinarlos.

不多久，香喷喷的白米饭和鲜美的银鱼就端了上来，他们从来也没吃过这样好的饭菜。当他们吵嚷嚷地要向黑衣客人道谢的时候，却发现他已经走了。

工匠们的欢笑声惊动了监工和官吏，他们来到工匠们住的地方，看见他们正吃着雪白的米饭和香喷喷的银鱼。

这些馋嘴的老爷，逼着工匠们说缘由，然后把工匠们赶走，自己吃起饭菜来。可他们万万也没有想到，雪白的米饭和精美的菜肴到了他们嘴里，又变成了木屑和刨花。有些性急的吃到肚子里，肚子马上疼得像刀割。

工匠们看到后，不禁哈哈大笑起来。

Poco tiempo después un delicioso aroma comenzó a salir del guiso del blanco arroz con los deliciosos pececillos y, rápidamente, empezaron a servirse. Los trabajadores, desde que llegaron a ese lugar, nunca habían comido tan deliciosa comida.

Con tanto alboroto, cuando fueron a darle las gracias al hombre de negro, se dieron cuenta de que éste ya no estaba. Los trabajadores se reían con tantas ganas que ello llamó la atención de los vigilantes y funcionarios, éstos fueron hasta donde estaban los trabajadores y vieron que estaban comiendo un blanco arroz con sabroso pescado. Este tipo de comida hace las delicias de los señores, por eso les obligaron a los trabajadores a contarles de dónde lo habían sacado. Porque su intención era echarlos fuera para poder comerse su comida, comida que jamás hubiesen pensado encontrar. Pero... ¿saben qué ocurrió?:

Pues que el blanco arroz como la nieve, y toda la exquisita comida que precipitadamente comían, en cuanto llegaba hasta sus bocas y a sus estómagos se transformaba en trocitos de madera y virutas. Algunos de ellos, que comieron impacientemente, tan pronto entraba la comida en sus estómagos sentían un dolor tan grande que parecía les cortasen.

En cuanto los trabajadores vieron lo que les sucedía no pudieron contener sus risas.

从此，修岳阳楼的工匠们每天都能吃到香喷喷的米饭和鲜美的银鱼，他们有了劲儿，把岳阳楼修造的雄伟壮丽。监工和官吏再也不敢像以前那样虐待他们了。

那位黑衣客人到底是谁？大家都不知道。一个老木工说：

"我想起来了，这个客人就是神仙吕洞宾"。

Desde entonces los trabajadores de la torre YueYang todos los días podían comer exquisito arroz y delicioso pescado. Así, tuvieron energía para construir la majestuosa y hermosa torre.

Los vigilantes y funcionarios no tuvieron más remedio que dejar de maltratarlos como lo hacían antes.

Pero, de aquel hombre vestido de negro que llegó hasta aquella tierra todos se preguntan: ¿quién sería? Y nadie lo sabía.

Sólo un anciano carpintero afirmaba:

—Para mí que ese hombre no es otro que el famoso mago Lüdongbin.[3]

Porque si hizo tanto bien, alguien importante tendría que ser.

---

3. Se dice que Lüdongbin era un famoso funcionario y muy letrado de la dinastía Tang. Taoísta célebre, que llegó a ser venerado como uno de los ocho inmortales.

明珠

MING ZHU

　　传说古时候，天河东边的石窟里住着一条玉龙，西边的树林里住着一只彩凤。

　　有一天，来到一个仙岛上，在这里他们发现了一块亮晶晶的石头，彩凤对玉龙说："玉龙玉龙，你看这块石头多漂亮啊！"。

　　玉龙也很喜欢这块石头，他对彩凤说："彩凤彩凤，我们把它琢磨成一颗珠子吧。"

Según cuenta una vieja historia en el lado este del río Tian[4] había una gruta en la que vivía un dragón, llamado Yu Long.[5] Mientras que, hacia el oeste del río, en el bosque, vivía una maravillosa ave, llamada Cai Feng.[6]

Un día, paseando juntos, llegaron hasta una mágica isla y en ella encontraron una piedra extraordinariamente brillante.

Cai Feng le dijo a Yu Long:

> —¡Yu Long, Yu Long, mira… mira que piedra tan preciosa!

A Yu Long también le gustó la piedra, y le dijo a Cai Feng:

> —Cai Feng, Cai Feng, la cogeremos y la puliremos hasta hacer de ella una perla brillante.

---

4. 天 *Tian,* significa 'cielo'.
5. 玉龙 *Yu long* significa en castellano 'Dragón de Jade'.
6. *Cai* 彩 hace referencia a muchísimos colores, 'maravilloso', mientras que *Feng* 凤 es 'fénix'.

他们俩动起工来，一个用锋利的爪子，一个用尖尖的嘴。时间一天天，一年年地过去了，他们真把石头磨成了一颗滚圆的珠子。

彩凤从仙山上衔来晶莹的露珠，滴在珠子上；玉龙从天河里吸来清水，喷洒在珠子上。他们就这样喷哪，洒呀，慢慢儿地这颗珠子变得透明闪光了。

从此以后，玉龙，彩凤再也舍不得离开明珠，他们不再回石窟也不再回树林，就这样日日夜夜守着明珠。

这可真是一颗宝珠，它不但晶莹，光润，而且照到哪里，哪里就草木常青，百花齐放，山明水秀，五谷丰收。

Los dos se pusieron manos a la obra, uno usaba sus puntiagudas garras y la otra su puntiagudo pico; así el tiempo, día tras día, año tras año fue pasando, hasta conseguir que la piedra fuera totalmente redonda.

Cai Feng desde la mágica montaña traía en su pico brillantes perlas de rocío que depositaba sobre su piedra preciosa. Yu Long con su boca absorbía agua del río Tian y luego la vertía sobre la piedra. Así, de esta manera, lo fueron realizando, hasta que poco a poco la perla llegó a ser tan transparente y brillante como un relámpago.

Desde entonces, Yu Long y Cai Feng, eran incapaces de alejarse de su perla preciosa; por eso ya no regresaban a su gruta ni a su bosque, sino que se pasaban día y noche observando su perla brillante.

Ésta era realmente un tesoro, porque no era sólo brillante y de un hermoso y delicado tacto, sino que además donde ella estaba todo lo iluminaba, toda la hierba que estaba a su alrededor crecía verde, hermosa, con toda clase de flores de mil colores en perfecta armonía, las montañas y los ríos eran luminosos, con corrientes apacibles y paisajes pintorescos, y el valle se llenaba todo él de una abundante cosecha.

有一天，王母娘娘走出天宫大门，明珠的闪闪光芒吸引了她："啊！太美了！"于是，她派了一个天兵，趁着夜晚玉龙、彩凤熟睡的时候，悄悄地把明珠偷走了。

玉龙和彩凤一觉醒来，发现明珠不见了，他们急得团团转。

于是不分白天黑夜，找遍了天河的每一个角落，可连明珠的影子都没见着。

一天，王母娘娘过生日举行盛大的宴会，四面八方的神仙都赶来祝寿。

王母娘娘乐得发晕，也顾不上明珠是偷来得了，就得意洋洋地说：

"各位神仙，我珍藏着一颗明珠，今天就让大家见识见识吧"。

Pero... un día la Reina Madre se asomó a la puerta de su palacio, fascinada por los rayos luminosos de la perla brillante, y exclamó:

—¡Ah! ¡qué preciosidad!

Entonces, inmediatamente mandó a uno de sus soldados para que, aprovechando la noche, cuando Yu Long y Cai Feng durmiesen, sigilosamente robase la perla brillante.

Yu Long y Cai Feng tan pronto como despertaron se dieron cuenta de que la perla preciosa había desaparecido; entonces, los dos rápidamente se pusieron a revolverlo todo, sin parar noche y día buscaron por doquier su perla; en el río, en cada rincón, pero no encontraron ni rastro de ella.

Sucedió después que llegó el día del cumpleaños de la Reina Madre y decidió hacer un gran banquete para celebrarlo. De todas las partes del mundo llegaron toda clase de seres celestes para celebrar su cumpleaños.

Ella estaba loca de contenta, y no teniendo en cuenta que la perla brillante era robada, dijo con gran entusiasmo:

—Queridos seres celestes yo atesoro una perla brillante que hoy os la voy a mostrar.

王母娘娘从身上拿出钥匙，叫侍女进了九道门，打开九层锁，取出明珠后，放在金盘里。

金盘端进来后，明珠把厅堂映照得五光十色，神仙门看得眼睛都发直了。

玉龙，彩凤正在四处寻找明珠，明珠发出的光芒吸引了他们的目光。

彩凤大叫："玉龙玉龙，那不是我们的明珠发出的光芒吗？"玉龙说："是啊，那就是我们的明珠，快去把它找回来"。

玉龙和彩凤顺着明珠的光芒，一直找到王母娘娘的厅堂里，神仙们正在围着明珠叫好。

玉龙说："这颗明珠是我们的"。

彩凤也说："这颗明珠是我们的"。

La Reina Madre sacó de entre sus ropas una llave, llamó a su sirvienta y mandó que abriese los nueve cerrojos de las nueve puertas y sacase la perla brillante y la pusiese sobre un plato de oro. Cuando el plato que contenía la perla preciosa entró en el salón del palacio todo él se iluminó, irradiando un sin fin de colores preciosos, los seres celestes miraban con los ojos atónitos.

Yu Long y Cai Feng justo en ese momento estaban buscando por todos lados la perla brillante, cuando, de repente, el resplandor de sus rayos les atrajo la mirada.

Cai Feng gritó:

—¡Yu Long..., Yu Long!, ¿no es ese el resplandor de nuestra perla?

Yu Long contestó:

—Claro que lo es, no es otra que nuestra perla brillante, rápido, vayamos a buscarla.

Yu Long y Cai Feng siguiendo el resplandor de la perla llegaron hasta el salón de la Reina Madre, donde en aquel momento los seres celestes daban vítores alrededor de la perla brillante. Yu Long entonces dijo:

—Esa perla brillante es nuestra.

Y también Cai Feng añadió:

—¡Esa perla es nuestra!

王母娘娘一听，恼羞成怒，她蛮不讲理地说：

"胡说！我是高贵的王母娘娘，天下的宝物都是我的"。

玉龙和彩凤一起说：

"这颗明珠不是天上生的，也不是地上长的，而是我们辛辛苦苦琢磨出来的"。

王母娘娘一面护着金盘里的明珠，一面命令天兵天将把玉龙和彩凤赶出去。

玉龙、彩凤见王母娘娘不讲理，就一起上前抢夺明珠，三双手抓住金盘，谁也不肯撒手。

就这样你拉我扯，金盘一晃明珠骨碌碌地从天上掉了下去。

玉龙和彩凤一见明珠掉下去了，急忙跟着它。

La Reina Madre en cuanto lo oyó, montó en colera por la humillación, y actuando de forma insolente dijo:

—¡Qué estúpidos! Yo soy la más sublime de las diosas, y todos los tesoros que hay bajo el cielo son míos.

Yu Long y Cai Feng a dúo contestaron:

—Esta perla no procede del cielo, y tampoco ha crecido en la tierra, sino que es fruto de nuestro minucioso y laborioso trabajo puliéndola.

La Reina Madre por un lado protegía el plato de oro con la perla brillante, y por otro ordenaba a sus soldados y mandos que cogiesen a Yu Long y Cai Feng y los echasen de allí.

Entonces Yu Long y Cai Feng viendo que la Reina Madre no atendería a razones, los dos a una saltaron y se pusieron por delante, para arrebatarle la perla, los tres con ambas manos agarraban el plato de oro, nadie quería soltarlo.

Así, que si estiras tú, que si estiro yo…, el plato se balanceaba sin cesar y la perla sin nada que la asegurase, al final, cayó desde las alturas del firmamento.

Yu Long y Cai Fong en cuanto vieron que la perla se caía salieron tras ella a toda prisa.

只见银亮亮的玉龙和青翠翠的彩凤在空中飞舞腾跃。他们一忽儿前，一忽儿后，一忽儿左，一忽儿右，紧紧的保护着这颗明珠从天空降落到地面上。明珠一落地，就变成了清亮亮的西湖。

玉龙舍不得离开明珠，就变成了一座雄伟的玉龙山守护着它；彩凤也舍不得离开明珠，就变成一座青翠的凤凰山陪伴着它。

从此，凤凰山和玉龙山就静静地立在西湖旁边。

Solamente se veía el color plateado y brillante de Yu Long y el verdoso jade esmeralda de Cai Fong que revoloteaban y saltaban en el aire. En un momento estaban delante, en otro detrás... a la izquierda... a la derecha... Con fuerza aseguraban y protegían la perla brillante que desde lo alto del firmamento caía, sin remedio, a la tierra.

Pero, sucedió que la perla brillante, en cuanto cayó en tierra, se transformó en un cristalino lago, el lago del Oeste.[7]

Entonces, Yu Long no quiso ya abandonar a su brillante perla y se transformó en una majestuosa montaña, la montaña del Dragón de Jade, con la cual protegería a la perla brillante.

Cai Fong tampoco quería abandonar la perla brillante y entonces se transformó en una montaña de verde jade, la montaña del ave fénix, para así estar siempre en su compañía.

Desde entonces, las montañas del ave fénix y del Dragón de Jade, de forma silenciosa y serena, están junto al lago del Oeste.

---

7. Xi Hu, o lago del Oeste, era el antiguo lugar de descanso de los emperadores. Primeramente, era una bahía; sólo a partir del siglo IV d. C. se formó el lago, como fruto de las continuas corrientes del río y las mareas que depositaban en ella los sedimentos.

直到现在，杭州还流传着两句古老的歌谣：

"西湖明珠自天降，龙飞凤舞到钱塘"。

Por eso, hasta ahora, en HangZhou[8] aún se oyen cantar estas estrofas de una vieja canción:

> El lago de la perla brillante
> baja del cielo al estanque,
> como dragón que vuela o fénix que danza.

---

8. 杭州 Hangzhou es la capital de la provincia de 浙江 Zhejiang, donde se encuentra este lago. Es muy famosa, entre otras cosas, porque durante la dinastía Song llegó a convertirse en capital imperial. Rica por la presencia de los emperadores que la adornaron y rica por sus posesiones y belleza natural. Zona de comercio y de mercaderes en busca de sedas y brocados. Hasta ella llegó Marco Polo, hacia finales del siglo xiii y de ella dijo ser la ciudad más bonita del mundo: «la ciudad del cielo».

白蛇传

BAI SHE ZHUAN

很久很久以前，在峨眉山有两条修炼了上千年的蛇，一条是百蛇一条是青蛇。她们很喜欢人间美丽的风岗，就变成两个漂亮的女子，取名叫白素贞和小青，来到西湖游玩儿。

西湖的风景真是美极了。她们来到西湖有名的断桥旁边，天忽然下起雨来，她们就躲在一棵柳树下避雨。

这时前面来了一个年轻的男子，手里拿着一把雨伞。

他叫许仙，刚刚扫墓回来.

Cuentan que hace muchísimo... muchísimo tiempo, en la montaña Emei[9] había dos largas y milenarias serpientes, una era blanca y la otra verde.

A las dos serpientes les encantaba la belleza de la vida entre los hombres, entonces decidieron transformarse en dos bonitas jóvenes, una se llamaba Blanca Suzhen y la otra Xiao Qing. Después, paseando juntas, se fueron hasta el lago Oeste.

El paisaje del lago era realmente hermoso. Pero cuando llegaron hasta el famoso puente que está junto al lago, de repente, comenzó a llover, entonces ambas se refugiaron debajo de un sauce para no mojarse.

En ese momento acertó a pasar por allí un joven muchacho, quien justamente llevaba un paraguas en sus manos. El joven se llamaba Xuxian, y en ese momento estaba regresando de limpiar las tumbas.[10]

---

9. Se trata del monte Emei 峨眉山, una de las cinco montañas sagradas para budistas y taoístas, que se encuentra en la provincia de Sichuan 四川, al suroeste de China.

10. Los chinos tienen la costumbre de limpiar las sepulturas y ofrecer sacrificios a los antepasados, es una tradición muy venerada, que especialmente se realiza a primeros de abril, en la fiesta de Ching Ming 清明.

看见两个女子在柳树下避雨，就上前把自己的雨伞借给她们用，还帮她们叫船送她们回家。白素贞喜欢上了许仙，让他明天到家里来取伞。

第二天，许仙来到湖边红楼白素贞的家里，白素贞感谢许仙的帮助，又问他家里的情况，得知许仙从小父母双亡，现在在姐姐家里，并在一家药铺工作。

白素贞就提出要和许仙结婚。许仙当然很高兴。

在小青的主持下，他们拜了天地，结成了美满的婚姻。

结婚以后，他们自己开了一个药铺，白素贞很懂得医术，每天不辞辛苦地给很多人看病，人们都很喜欢她，叫她白娘娘。

Cuando vio a las dos jóvenes guareciéndose de la lluvia debajo del sauce, inmediatamente les ofreció su paraguas para que lo usasen, además ayudó a las jóvenes llevándolas en barco de regreso a su casa.

A Blanca Suzhen le gustó mucho este joven, así que quedó con él en que volvería al día siguiente para entregarle su paraguas.

Al día siguiente el joven Xuxian fue hasta el borde del lago donde estaba el rojo edificio de la casa de Suzhen, ésta le agradeció muchísimo su ayuda y le preguntó por su familia. Así supo que los padres de Xuxian habían muerto y que ahora vivía en casa sólo con su hermana mayor, y juntos llevaban una farmacia.

Blanca Zuzhen escogió a Xuxian como su futuro esposo y éste, como es natural, se sintió muy halagado. Ante Xiao Qing los jóvenes hicieron la ceremonia de respeto a los antepasados y honraron al cielo y a la tierra, gozando así de una hermosa celebración de matrimonio.

Después de casarse, ellos mismos abrieron por su cuenta una farmacia. Suzhen demostraba ser una médica muy entendida, tan dedicada que nunca rehusaba el atender a los muchos pacientes que todos los días venían a visitarla. Las personas estaban muy contentas con ella y la llamaban la diosa blanca.

镇江有一个金山寺，寺里又一个和尚叫法海。他得知白素贞是一个千年蛇妖，认为蛇妖一定会害人，就想办法要让许仙出家离开白素贞。

这一天，法海来到许仙家里，告诉许仙他的妻子是一个蛇妖。

许仙不信，法海就叫他在五月初五端午节的那天，让白素贞喝几杯雄黄酒，她就会现出原形。

到了端午节，家家都喝雄黄酒驱邪。蛇是最怕这种酒的。

白素贞和小青想去山中躲一躲，又怕许仙怀疑，只好装病。

En Zhenjiang,[11] entre las montañas, había un famoso templo budista, era Jinshan. En el templo vivía un maestro bonzo llamado Fahai.

Él sabía que Blanca Suzhen era una milenaria serpiente de mal agüero, por lo que pensaba que ésta haría algún mal a los hombres. Así que ideó la forma de hacer que Xuxian se hiciese monje y abandonase a su esposa.

Un día Fahai fue hasta la casa de Xuxian y le dijo que su esposa era una serpiente hechizada, pero él no le creyó.

Entonces Fahai le propuso aprovechar el día de la próxima fiesta del quinto mes lunar, para darle de beber a Suzhen un vino llamado Xionghuang, que tiene el poder de ahuyentar los malos espíritus, así aparecería quien era ella realmente.

Cuando llegaba esa fecha, en todas las casas se bebía ese vino. Justamente el temor mayor de las serpientes era esa clase de licor.

Para librarse, Suzhen y Xiao Qing pensaron ir a la montaña para esconderse, pero temiendo que Xuxian sospechase algo y dudase de ellas, decidieron que lo mejor era fingir que estaban enfermas.

---

11. Zhenjiang 镇江 es una histórica y popular ciudad, capital de la provincia de Jiangsu 江苏 en la China central.

许仙虽然不信法海的话，但今天人人都要喝雄黄酒，就劝白素贞也喝一杯。

白素贞没有办法，勉强喝了一杯之后，觉得非常不舒服，好像醉了一样。

许仙忙扶她到帐子里休息，自己去调了一杯醒酒汤，端来给妻子解酒。谁知当他撩开帐子时，突然看见一条大白蛇盘在床上，一下子吓死了。

白蛇醒来以后，见许仙被吓死了，非常悲痛。她让小青照顾许仙，自己到仙山去偷灵芝草。因为只有灵芝草才能救活许仙。

白素贞这时已经怀孕七个月了。

Aunque él no creía lo que le había dicho Fahai, como era el día de la fiesta y toda la gente solía tomar ese vino, le pareció lo normal ofrecerle a Suzhen un vaso para que también ella bebiese. Ella ya no tenía salida, no le quedaba más remedio que beber.

Nada más probar el vaso de vino se sintió tremendamente mal, como si estuviese borracha. Entonces Xuxian le ayudó a ir hasta su habitación para poder descansar mientras él mismo fue a prepararle una taza de caldo de Xingjiu,[12] para que lo tomase y deshiciese el mal efecto que le había causado lo que había bebido. Mas... ¡quién lo podría imaginar!

Cuando Xuxian apartó la mosquitera, de repente, vio una gran serpiente blanca enroscada en la cama. Fue tan grande la impresión que murió del susto.

¡Qué gran tragedia! Suzhen dejó entonces a Xiao Qing que cuidase a Xuxian, mientras ella misma se dirigía a Xianshan para coger Linzhi,[13] una hierba mágica, porque sólo ella era capaz de devolverle la vida a su esposo.

Suzhen por entonces, cuando se dirigía a Xianshan, ya tenía siete meses de embarazo.

---

12. Es un vino para deshacer la borrachera, *Xing* 醒 es 'despertar' y *jiu* 酒 'vino'.
13. El Lingzhi 灵芝, es un liquen, conocido como el hongo de la inmortalidad.

她到了仙山，被守山的仙童发现，仙童见她要偷灵芝草，就和她打了起来。

她拼死苦战，南极仙翁见她对丈夫一片真情，就赐给他灵芝草回去搭救许仙。

许仙被救活了，可他还是有点儿害怕。

白素贞想了一个办法，她用白腰带变了一条大白蛇盘在屋梁上，让许仙来看，许仙这才不怀疑妻子是蛇妖，和白素贞重新和好了。

法海仍然不甘心。他把许仙骗到了金山寺，不让他回家。

白素珍和小青到金山寺来要人，和法海打了一仗。

Cuando llegó encontró que la montaña estaba custodiada por pequeños inmortales quienes, al ver que Suzhen quería apoderarse de la hierba mágica, inmediatamente comenzaron a atacarla. Entonces, el Venerable anciano del Polo Sur,[14] al darse cuenta de que Suzhen podría morir en la batalla y viendo el amor que ésta tenía a su marido, fue generoso con ella y le entregó la hierba mágica para que, regresando a casa, pudiese sanar a su esposo.

Xuxian finalmente volvió a la vida; se restableció, pero seguía sintiendo bastante miedo. Entonces Suzhen tuvo una gran idea. Cogió un cinturón blanco y lo enroscó sobre la viga haciendo el efecto de que era una gran serpiente. Después dejó que Xuxian lo viese.

Desde entonces ya no dudó más de su esposa pensando que fuera una serpiente encantada. Se reconcilió con ella y de nuevo volvió a estar bien.

Sin embargo, Fahai aún no se había dado por satisfecho y con engaños se apoderó de Xuxian llevándolo hasta el templo de Jinshan, con la intención de no dejarlo volver a casa.

La blanca Suzhen y Xiaoqing se dirigieron, entonces, hasta el gran templo de Jinshan y Fahai les entabló batalla.

---

14. Nanjilaoren 南极老人 es un mítico y venerable anciano del Polo sur, que, según sus creencias, posee el don de la inmortalidad. Se utiliza entre los chinos como fórmula de cortesía para desear a los ancianos que alcancen una larga longevidad.

白素贞动了胎气，腹中疼痛，败走到断桥边上。

她看见断桥，想起当初在这儿和许仙认识的情景，非常伤心，小青责怪许仙不该听信法海的话，劝白素贞离开许仙。

许仙在小和尚的帮助下逃出了金山寺，在断桥边找到了妻子。白素贞告诉他自己确实是蛇仙所变。许仙这时已经明白妻子对自己的深情，发誓不管她是人是蛇，都和她白头到老。

他们回到家中，不久，白素贞生了一个儿子。孩子满月那天，一家人都很高兴。

Suzhen sintió que la vida del hijo que estaba dentro de su seno se movía provocándole un profundo dolor, así que no tuvo más remedio que huir derrotada y refugiarse en el puente. Cuando Suzhen vio el puente su pensamiento voló hacia aquellos días, recordando que en ese mismo lugar conoció a Xuxian y pensando en todo lo sucedido su corazón se estremeció de dolor. Xiaoqing dolorida reprochaba a Xuxian que hubiese creído en lo que le decía Fahai, y aconsejaba a Suzhen que le abandonase.

Mientras, Xuxian ayudado por un pequeño maestro bonzo logró escapar del templo de Jinshan, y llegando hasta el puente se encontró con su esposa. Entonces ella misma le contó su historia, como había sido una serpiente encantada y como se transformó. Xuxian por fin comprendió claramente a su esposa y se dio cuenta del profundo amor que ésta sentía por él; entonces descubrió que nada le importaba, fuese serpiente o fuese mujer, con ella quería vivir toda la vida.

Los dos juntos regresaron a casa y poco tiempo después Suzhen dio a luz un hijo. Pero, justo el día en que el niño cumplía un mes y en casa toda la familia estaba feliz...

谁知法海又来了，他不顾许仙的哀求，派神将把白素贞压在了西湖边的雷峰塔下。

小青逃回峨眉山中，苦练本领，后来终于打败了法海，救出了白素贞。

¡Quién habría de pensar que Fahai aún volvería!, pues sí volvió, y sin preocuparse lo más mínimo de las súplicas de Xuxian envió a sus geniecillos que se apoderaran de Suzhen y la encerrasen en la torre Lei Feng al lado del Lago de Oeste.

Xiaoqing, sin embargo, logró huir y regresar a la montaña Emei. Allí se preparó, y desarrollando sus mejores cualidades, regresó y luchó con Fahai, hasta derrotarlo y salvar a Suzhen, quien, por fin, pudo vivir libre y feliz.

胸有成竹

XIONG YOU CHENG ZHU

宋朝的时候，有一个读书人叫文同，他还有个字叫与可，人们都叫他文与可。

文与可很会画画儿，他喜欢用水墨画一些花儿呀，鸟呀，鱼呀的画儿。但是，要说他最擅长的，还得数画竹子。

文与可平时就非常喜欢竹子，他在自己的窗前种了很多竹子，而且他还非常精心地培育这些竹子，因为这样他就能每天在自己的窗前观察竹子。

Durante la dinastía Song, había un hombre ilustre llamado Wen Tong, Yuke era su 字 *zì*,[16] (el nombre que le habían dado) así que todo el mundo le llamaba Wen Yuke.

Wen Yuke era un gran pintor, para pintar le gustaba utilizar la tinta china, con ella hacía cuadros de pájaros, peces, pero hay que decir que su gran maestría se demostraba cuando pintaba el bambú.

A Wen Yuke le encantaba el bambú; enfrente de su ventana había cantidad de ellos. No sólo le gustaba verlos, sino que además le encantaba cultivarlos él mismo. De esa manera cada día, desde su ventana, podía contemplar detalladamente como era el bambú.

15. 胸 *Xiong* 有 *you* 成 *cheng* 竹 *zhu*, título original de esta historia, en su traducción literal sería que el bambú ha entrado en la mente, en el corazón. Esta expresión, como muchísimas más, forman parte de la cultura china que expresa sus sentimientos más profundos con frases formadas por cuatro caracteres, son los llamados *chengyu*, refranes o expresiones. Los caracteres entre sí normalmente no guardan relación ninguna con lo que se quiere expresar, por ello se debe acudir a la historia que dio lugar a tal expresión para entender su significado.

16. El 字 *zì* era el nombre impuesto a una persona al llegar a la mayoría de edad en la antigua China. A la edad de veinte años se asignaba el *zì* en sustitución del nombre de nacimiento, como símbolo de adultez y respeto.

文与可观察竹子可仔细了。他从天气刚刚转暖的春天到白雪纷飞的冬天，从晴天到雨天，从早上的霜冻到晚上的雾气，他抓住每一个机会，仔细观察竹子在不同的季节、不同的气候里的变化。

他每天记下竹枝有什么变化，竹叶有什么不同，在各种请况下，竹枝和竹叶都是什么样的姿态。这样，时间长了，他就是不看竹子，也能很有把握地想起竹子的样子，把竹叶，竹枝都非常细致地画出来，而且他画出来的竹子非常形象有生气。

有一天，文与可的一个好朋友晁补之到他的家里来看他。见到文与可能这样熟练地画竹子，心里非常佩服，于是他就写了一首诗：

"与可画竹时，胸中有成竹"。

Wen YuKe observaba minuciosamente el bambú desde que despuntaba el tiempo plácido de la primavera, hasta que llegaban las primeras nieves del invierno; desde que el cielo estaba limpio y sereno, despejado, hasta que llegaba el tiempo de lluvias; desde la escarcha de la mañana hasta la niebla de la noche. Él aprovechaba las diferentes estaciones, los cambios del tiempo para observar minuciosamente los cambios del bambú.

Cada día miraba si las ramas del bambú tenían algún cambio, si había algo de diferente en sus hojas, y en toda clase de circunstancias observaba qué posición tenían las ramas y las hojas del bambú.

Así transcurría su tiempo, de tal manera que, si no veía las cañas de bambú, de igual forma cogiendo el pincel pintaba sus ramas, sus hojas, con una precisión y minuciosidad increíble, no sólo eso, sino que el bambú de sus cuadros tenía expresión, viveza, espíritu.

Un día, un gran amigo de Wen Yuke, llamado Chao BuZhi, fue a su casa a visitarle. Cuando estaba con él se fijó en la gran habilidad con que Wen Yuke pintaba el bambú, sintió una profunda admiración por él. Entonces le escribió unos versos:

> YuKe antes de pintar el bambú, este ya lo tiene dentro de su corazón.

意思是说，文与可在下笔画竹子之前，心里早已有了竹子的形象，不用再看竹子，也能很有把握地把竹子的神态画得生动，传神。不但晁补之这么说，就连宋代的大文学家苏东坡也特别敬佩文与可的画法，并在自己的文章中经常夸奖他。

后来，人们就借用这个故事，把事先已做好充分准备，非常有把握把事情办好叫做："胸有成竹"。

Lo que quería decir es que Wen Yuke, antes de ponerse a pintar sus cuadros, en su corazón ya tiene la imagen del bambú, no necesita mirar el bambú para coger su pincel y plasmar toda la expresión, la viveza, la naturalidad del bambú en sus cuadros, como si éste fuera real.

No sólo era la opinión de Chao BuZhi, sino que incluso el mayor literato de la dinastía Song, el escritor Su Dongpo, sentía una admiración especial por la forma de pintar de Wen Yuke, incluso, con frecuencia solía elogiarle en sus escritos.

Con el tiempo la gente adaptó esta historia al hecho de tener una minuciosa y plena preparación antes de realizar algo. Tener plena seguridad de lo que se quiere hacer es:

Xiong you cheng zhu: «tener dentro de la mente el bambú».[17]

---

17. Es decir, si el bambú está dentro de ti, podrás sacarlo. Si realmente sabes lo que quieres, te has preparado y la idea se ha formado dentro de ti podrás realizarlo. Esta frase forma parte de las expresiones populares, o refranero de China.

虎头鞋

HU TOU XIE

在中国，很多地方的小孩儿出生以后，都穿一双前面绣着小老虎头的鞋，这是为什么呢？

从前，有一个人叫杨大，他很穷，都三十多岁了还是没有娶上媳妇儿，只能靠一条破船在渡口摆渡挣几个钱过日子。

但是他的心肠特别好，坐他船的人，就是你没有钱，他也会把你送过河去。大家都说：

"杨大心眼儿这么好，却没有钱娶媳妇儿，真是太可惜了"。

有一天，正赶上刮风下雨的天气，河面上掀起了波涛。

En muchos sitios de China cuando nace un niño tienen la costumbre de ponerle unos zapatitos que llevan bordado encima una cabecita de tigre, ¿saben por qué?

Hace mucho tiempo había un hombre llamado Yang Da, era muy pobre, tanto que ya tenía más de treinta años y aún no había podido tener una esposa,[18] solamente contaba con un barquito roto en el embarcadero que le servía para ganar un poco de dinero y poder sobrevivir usándolo como trasbordador.

Pero Yang Da tenía un gran corazón. Si tenías que subir al barco para cruzar el río y no tenías ningún dinero a él no le importaba, lo mismo te llevaba. Todo el mundo decía de él:

> Yang Da tiene un gran corazón, que pena que no tenga dinero para tener una esposa.

Un día, vino de repente una tormenta de viento y agua, y en el río se levantaron grandes olas.

---

18. En la antigua China se casaban muy jóvenes, a los treinta años ya debían tener formada su familia. Pero, para tener esposa se necesitaba contar con suficiente dinero para ofrecer regalos y bienes a la familia de la futura esposa.

这样的天气人们一般都不愿意出门，平时热闹的渡口一下子冷清起来。

杨大也在自己的小破屋里躲雨，他想：

"幸亏没有人要过河，要不我就遭罪了"。正想着，就看到一个讨饭的老奶奶在对岸喊他：

"喂——我要过河！"

杨大赶紧冒雨把船划了过去，把老奶奶接过了河。可是刚刚到了这边岸上，老奶奶突然说：

"哎呀，我把讨饭的碗忘在那边了，这可怎么办呢？"

杨大一听，立刻说道：

"您别着急，您先到我的屋里避避雨，我去给您取回来。"

Con ese tiempo la mayoría de la gente no sale de sus casas, así el tradicional y animado jolgorio del embarcadero, de repente, se quedó solitario.

Yang Da también se metió dentro de su pequeña casucha para guarecerse de la lluvia, mientras pensaba:

> Por suerte nadie querrá cruzar el río en estas condiciones, de no ser así me sentiría culpable.

Así pensaba cuando vio a una pobre anciana que desde la otra orilla del río gritaba:

> —¡¡Eh, eh!!, ¡quiero cruzar el río!

Yang Da inmediatamente desafiando la lluvia remó hasta cruzar el río y llevó a la anciana pobre hasta la otra orilla, pero, en cuanto lo hubo cruzado, la anciana pobre de repente dijo:

> —¡Ay!, me he dejado el plato de pedir limosna en el otro lado, ¿ahora qué puedo hacer?

Yang Da en cuanto lo oyó enseguida le dijo:

> —Tranquila, no se preocupe, lo primero es que usted se guarezca de la lluvia en mi casa, mientras yo regreso y le traigo su plato.

说完，就又划到了对岸，等他返回来的时候，嘴唇已经冻得发紫了。

雨小了，老奶奶拿出一张画儿，说：

"我没有什么钱，就把这张画儿送给你做船钱吧"。

杨大一看，只见画儿上一个姑娘正在修着一双可爱的湖头鞋。杨大谢过了老奶奶，就把画儿贴在墙上又去摆渡了。

等到晚上杨大回来以后，那张画儿上的姑娘竟然走下来变成活的了。

就这样，杨大和这位画儿中的姑娘结成了夫妻。姑娘白天回到画儿里，晚上从画儿上走出来。

后来他们又有了一个可爱的儿子叫小宝。

小宝穿着虎头鞋，一家人过着快乐幸福的日子。

Inmediatamente se puso a remar de vuelta a la otra ribera, cuando regresaba sus labios se habían vuelto color morado del frío que hacía.

La lluvia calmó poco después, entonces la anciana mendiga sacando una pintura de su macuto le dijo:

> —Yo no tengo nada de dinero, toma, te doy esta pintura por tu trabajo.

Yang Da lo miró y vio que era un cuadro con una joven que estaba bordando unos zapatitos con unas cabecitas de tigre. Se mostró muy agradecido con la anciana pobre; tomó el cuadro y lo colgó en la pared, después se fue al embarcadero.

Cuando llegó la noche y Yang Da regresó a casa, sucedió algo increíble, la muchacha del cuadro, que bordaba un par de zapatitos, cobró vida y salió del cuadro.

A partir de aquel día siempre sucedía lo mismo. Entonces Yang Da y la joven del cuadro se convirtieron en marido y mujer. La joven de día regresaba al cuadro y de noche recobraba la vida.

Poco después tuvieron un hermoso bebé al que llamaron Xiao Bao.[19]

Xiao Bao lucía los zapatitos bordados con la cabecita de tigre y toda la familia pasaba los días llenos de alegría y felicidad.

19. 小 *Xiao* es 'pequeño' y 宝 *Bao* 'tesoro'.

知府知道了这件事，就带人来到渡口，抢走了画儿，还把杨大毒打了一顿。杨大没有了妻子，小宝没有了妈妈，爷儿俩悲痛万分。

小宝听说送画儿的老奶奶朝南走了，就决定去找他。他穿着虎头鞋走啊走，后来在一个湖边遇到了七个仙女。最小的一个正是他的妈妈。

小宝哭着向妈妈跑去。妈妈抱起小宝，亲了又亲，还对他说：

"孩子，自从知府抢走了画儿以后，妈妈就只能在仙界生活了，你得去找知府讲理，这样妈妈才能回去"。

说完，就在小宝的虎头鞋上用湖水抹了一下，人就不见了。

Pero, enterado de este acontecimiento Zhifu[20] mandó a alguien hasta el embarcadero, para dar a Yang Da una paliza y robarle el cuadro.

Entonces, Yang Da se quedó sin esposa, el pequeño Xiao Bao se quedó sin mamá y padre e hijo, los dos, se llenaron de tristeza.

Xiao Bao había oído que el cuadro de la anciana lo habían llevado hacia el sur, así que decidió ponerse en camino para buscarlo. Se puso los zapatitos bordados y empezó a caminar y caminar... hasta que llegó al borde de un lago y allí se encontró con siete hadas. La más pequeña de todas ellas era justamente su madre.

Xiao Bao se lanzó hacia ella llorando, y su madre abrazándolo no cesaba de besarlo, después le dijo:

> —Hijo, desde que Zhifu robó el cuadro, mamá está atrapada en el mundo de las hadas. Tú debes ir en busca del malvado Zhifu y convencerle para que mamá pueda regresar a casa.

Cuando terminó de hablar mojó los zapatitos bordados de Xiao Bao con un poco de agua del lago, y entonces desapareció.

---

20. Zhifu, 知府 se le llamaba en la antigüedad al Gobernador de un determinado distrito.

小宝的虎头鞋本来已经又脏又破了，可是经妈妈一抹，立刻变成崭新的了。小宝记着妈妈，找到了知府。

知府正发愁呢，因为那个姑娘不从画儿上走下来。小宝一到，把画儿中人的手一拉，那个姑娘就走下来了。

知府马上派人把小宝母子围住，想永远地霸占仙女。

小宝使劲儿跺了跺自己的虎头鞋，鞋上的小老虎立刻眨了眨眼睛，胡须也竖了起来，大吼一声，跳了下来，一口咬住知府就往深山里跑。坏知府不见了。

小宝拉着妈妈的手回到家里，杨大一家人有幸福地团圆了。

Los zapatos de Xiao Bao se le habían puesto sucios y estaban viejos, pero cuando su madre los untó con el agua del lago se volvieron, de repente, completamente nuevos. Xiao Bao recordando las palabras de su madre fue a buscar al malvado Zhifu.

Éste, por entonces, estaba muy triste y deprimido, porque aquella joven no salía más del cuadro cobrando vida.

Xiao Bao en cuanto lo encontró alargó su brazo y tomó la mano de la joven del cuadro que inmediatamente cobró vida saliendo de él.

Zhifu, inmediatamente mandó a su gente que rodeasen a Xiao Bao y a su madre, pensando en apoderarse de ella para siempre. Pero Xiao Bao pisó con fuerza sobre sus zapatos de cabeza de tigre, y he aquí que el pequeño tigre que llevaba bordado sobre sus zapatos, de repente, en un pestañear de ojos, salió y sigilosamente se levantó, dio un tremendo bramido y saltando sobre el malvado le propinó un tremendo mordisco, escapándose hasta lo más profundo de la montaña. Por fin el malvado Zhifu había desaparecido. Xiao Bao, después, cogido de la mano de su mamá regresó a su casa. Yang Da y su familia, todos reunidos nuevamente, por fin podían vivir felices.

后来人们给刚出生的孩子穿上虎头鞋，希望他们一生平安幸福。

Desde entonces existe esta costumbre de poner a los recién nacidos unos zapatitos bordados con una cabecita de tigre, deseando que sus vidas estén llenas de paz y felicidad.

金沙江 和 玉龙山

JINSHAJIANG HE YULONGSHAN

在中国西南，有一条江叫金沙江，有一座山叫玉龙山。

传说金沙江是一个年的姑娘，她美丽活波。玉龙山是个白头发老爷爷，性情安详。

他们的家，在青海的巴颜瞎拉山下，他们在那里住了有几万年了，他们是邻居，常常在一起说说笑笑，就好像爷爷和孙女一样。

玉龙山老翁很爱听金沙江姑娘唱歌，金沙江姑娘很爱听玉龙山老翁讲故事。

有一天，金沙江姑娘请玉龙山老翁讲故事。

玉龙山老翁想了想，就慢悠悠地讲了一个东海的故事。

EL RÍO ARENA DE ORO
Y LA MONTAÑA DRAGÓN DE JADE

En un lugar en el suroeste de China había una vez un río al que llamaban «Arena de Oro» y una montaña llamada «Dragón de Jade».

Cuentan que el río Arena de Oro era una joven muchacha, muy alegre y bella; y la montaña Dragón de Jade, era un bondadoso y sonriente anciano de blanca cabellera, y de aspecto sereno y apacible.

Los dos tenían su casa en la ladera de la montaña de Kala en la provincia de Qinghai. Allí vivían desde hacía miles de años. Eran vecinos y con mucha frecuencia hablaban y reían juntos, como si fuesen abuelo y nieta.

Al venerable anciano, llamado Dragón de Jade, le encantaba escuchar cantar a la joven Arena de Oro, y a la joven Arena de Oro, aún le gustaba mucho más escuchar al anciano Dragón de Jade contarle historias.

Un día la joven Arena de Oro le pidió al anciano Dragón de Jade que le contara una historia.

El anciano Dragón de Jade pensó y pensó y al final dulcemente comenzó a contar una historia del mar del oriente:

"在太阳升起的地方,有一个东海,东海里有一座水晶宫。水晶宫是个十分美丽的地方,珍珠做帘,珊瑚做柱。 在水晶宫里, 住著一位善良,年轻又英俊的王子,他到如今还没有找到一位理想的伴侣。

一天 ,他听说西方有一位漂亮的姑娘,高兴极了,他来到海滨, 向着西方遥望。他幻想那位美丽的姑娘会到东海来。他真是望眼欲穿。

可是时间一天天地过去了,除了飞翔的白鸥和海浪拍岸的声音外,什么也没有 "。

风刮过来了,东海王子对风说: '风哥哥,请您带个信儿给那个漂亮的姑娘,就说东海王子在日夜想念她'。

可风早把这件事情给王忘了。王子每天站在海滩上, 他痛苦,他难过,最后他病倒了 "。

Cuentan que una vez allá donde el sol nace en el mar del oriente, había un hermosísimo palacio hecho todo él de roca de cristal, con cortinas de perlas y columnas de coral. Dentro de ese hermoso palacio habitaba un bondadoso joven y apuesto príncipe, quien hasta entonces no había encontrado la compañera de sus sueños.

Un día, el príncipe oyó decir que hacia el oeste había una hermosa muchacha, él enseguida se puso muy contento y fue hacia la playa mirando hacia esa tierra lejana, soñando, ilusionado, con que esa hermosa muchacha llegase hasta el mar del oriente.

Él esperaba lleno de ansia, pero el tiempo pasaba un día tras otro... y aparte del revolotear de las gaviotas y del ruido de las olas al golpear en la costa, en aquel lugar, nada más ocurría.

El viento llegó y comenzó a soplar, entonces el príncipe del mar del oriente le dijo:

—Hermano viento, por favor, llévale esta carta a la hermosa muchacha dile que día y noche pienso en ella.

Pero el viento muy pronto se olvidó del encargo del príncipe. Mientras, el príncipe del mar del oriente seguía en la playa sufriendo. Al final su dolor se hizo tan grande que se enfermó.

金沙江姑娘听到这里，非常同情这位王子，她急忙问：

"¿那怎样才能医治好王子的病呢？"

玉龙山老翁笑咪咪地说：

"只有西方的姑娘到东海去，王子的病才能好"。

沙江姑娘又问：

"那位美丽的姑娘是谁？她为什么不去呢？"

玉龙山老翁说：

"这位美丽的姑娘就是你啊！好姑娘，只有你能救东海王子"。

金沙江姑娘一听，不好意思了，她的脸羞得通红。玉龙山老翁一看，哈哈大笑起来。

金沙江姑娘想了想，说：

"好吧，我去东海找王子"。

玉龙山老翁一听，吓了一跳：

La joven Arena de Oro cuando escuchó este relato sintió mucha simpatía por el príncipe y nerviosa y apresurada preguntó:

—¿Entonces, se curó el príncipe de su enfermedad?

El anciano Dragón de Jade con una pequeña sonrisa dijo:

—Solamente si la joven de occidente va hasta el mar del oriente, el joven príncipe se podrá curar.

Entonces, la joven Arena de Oro preguntó:

—Pero ¿esa hermosa muchacha quién es? ¿Por qué no ha ido hasta allí?

El anciano Dragón de Jade dijo:

—¡Esa hermosa muchacha eres justamente tú! Querida niña, solamente tú puedes salvar al príncipe del mar del oriente.

Cuando la joven Arena de Oro escuchó esto se ruborizó mucho y toda su cara se sonrojó.

¡Ja ja ja...! Rio el anciano Dragón de Jade al verla.

La joven Arena de Oro pensó y pensó, entonces dijo:

—¡Vale!, está bien... Iré hasta el mar del oriente en busca del príncipe.

El anciano Dragón de Jade en cuanto escuchó esto, dio un salto del susto:

"我是开玩笑的啊，东海离这儿有六千多里，你一个年轻姑娘，怎么能走这么遥远的路呢？"

金沙江姑娘说：

"我不怕"。

玉龙山老翁说：

"如果你一定要去，我也跟着你去，好吗？"

金沙江姑娘高兴地说：

"¡那太 好了！可是你的年纪这样 大 ，能走到东海吗？"

玉龙山老翁说：

"那我们比比看，看谁先到东海"。

于是，他们两个离开了青海，向东南走去。

玉龙山老翁身材魁梧，一步就是几十里，不像金沙江姑娘走得那样慢，他常常回过头对金沙江姑娘说：

"小姑娘,快些走"。

—Yo sólo estaba gastando una broma, el mar de oriente está muy lejos de aquí, a miles de kilómetros, tú eres muy joven, ¿cómo vas a poder recorrer ese largo camino?

La joven Arena de Oro contestó:

—¡Yo no tengo miedo!

El anciano Dragón de Jade entonces le dijo:

—Pues, si estás decidida a ir, yo iré contigo, ¿de acuerdo?

La joven Arena de Oro muy contenta añadió:

—Entonces mucho mejor, ¡estupendo!, pero, con tu edad, si eres tan mayor… ¿Cómo vas a poder llegar hasta el mar del oriente?

El anciano Dragón de Jade le sugirió:

—Está bien, haremos una apuesta, veremos quién llega primero hasta el mar del oriente.

Entonces los dos juntos dejaron la provincia de Qinghai y se dirigieron hacia el oriente.

La estatura del anciano montaña Dragón de Jade era alta y muy robusta, un paso suyo eran cientos de metros, pero no era así para la joven Arena de Oro que caminaba mucho más lento. El anciano Dragón de Jade de vez en cuando volvía la cabeza hacia atrás diciendo:

—¡Niña!, camina un poco más rápido.

就这样走了三四十天，他们来到了云南的丽江县。

玉龙山老翁觉得这里非常安静，就往南边一坐，他看到金沙江姑娘还远远地落在后面，想休息一下等等她。

不料，这老翁却睡着了，他横在丽江白沙街头，正好挡住了金沙江姑娘的去路，因此，他放心安稳地睡着了。

这一睡几十万年也不会苏醒。

金沙江姑娘赶上来了，她看见玉龙山老翁在睡觉，就去搔老翁的脚心， 可老翁就是不醒。

Así caminaron por treinta o cuarenta días, llegando hasta la comarca de Lijiang[21] de la provincia de Yunnan.[22]

El anciano Dragón de Jade se sintió muy tranquilo y relajado en aquel lugar y dirigiéndose hacia el lado sur se sentó un momento, miró hacia atrás, buscando a la joven Arena de Oro y vio que aún estaba demasiado retrasada, pensó entonces descansar un poco mientras la esperaba.

Pero, sin esperarlo, de repente le entró mucho sueño y el anciano Dragón de Jade se atravesó en la calle Baisha de Lijiang y se durmió; atravesado, justamente, pensando impedirle el paso a la joven Arena de Oro y dormir así más tranquilo mientras la esperaba.

Y allí se entregó a un apacible y tranquilo sueño. Dormido llevaba ya unos cuantos miles de años y sin despertar, cuando la joven Arena de Oro, finalmente, logró llegar hasta el anciano Dragón de Jade.

Cuando vio que éste dormía comenzó a hacerle cosquillas en la planta del pie, pero el anciano ni por esas se despertaba. La joven Arena de Oro empezó a darle la vuelta girando a su alrededor.

---

21. Lijiang 丽江 es famosa por el estanque de verdes y claras aguas que dicen son reflejo del Dragón de Jade.
22. La provincia de Yunnan 云南 se encuentra al suroeste de China. Muy variada en su geografía llena de montañas y valles, esto hace que su climatología llegue a ser diferente cada diez kilómetros. Es conocida como la reina de las aves y las plantas.

金沙江姑娘绕着玉龙山老翁走了三天三夜, 老翁一点儿也没有发觉。金沙江姑娘笑着走了。

金沙江姑娘一直走到东海, 她看见东海王子欢迎地迎接她 , 就高高兴兴地投入到东海王子的怀抱里。

他们幸福地生活在一起。

金沙江姑娘常常在海上呼唤:

"玉龙山爷爷, 您快醒来吧, 到东海来玩儿吧!"

Tardó tres días y tres noches en darle la vuelta, pero el anciano ni se inmutó. La joven Arena de Oro entonces, sonriéndose, continuó su viaje.

Finalmente, la joven llegó hasta el mar del oriente, allí enseguida vio al príncipe, quien sonriente salía a su encuentro para recibirla, entonces, ella muy contenta se lanzó en sus abrazos.

Juntos disfrutaron de una vida llena de felicidad.

Mientras desde la orilla de la playa, y con mucha frecuencia, se oye a la joven Arena de Oro con fuerte voz gritar:

—Abuelo Dragón de Jade, despierte rápido y venga hasta el mar del oriente, ¡para que juntos nos podamos alegrar!

颐和园里的铜牛

YIHEYUAN LI DE TONGNIU

到过北京颐和园的人，谁都不会忘记卧在十七孔桥桥头的那头铜牛。

这头牛两角高竖，二目圆睁浑身黑亮发光。关于这头牛，民间还有一个传说呢。

据说清朝的康熙皇帝特别爱打猎，他在南苑有一个好大的猎场，猎场里面养着许多獐、狍、野鹿，没事的时候，康熙就带着一帮人到猎场骑马打猎。

这天，康熙打猎回来，路过一个村子，他看见一家的院子里有三头牛。这三头牛真棒，个头儿高大，全身金黄，膘肥体壮。

EL BUEY DE BRONCE DEL PALACIO DE VERANO[23]

Quien ha visitado el Palacio de Verano, en Pekín, seguro que recuerda al buey de bronce que reposa junto al puente de los diecisiete arcos.

Este buey tiene dos grandes cuernos muy erguidos y unos ojos muy abiertos y redondos, todo su cuerpo es de un negro resplandeciente. Acerca de él hay una historia popular muy difundida.

Según se dice durante la dinastía Qing[24] hubo un emperador llamado Kangxi, que era muy aficionado a la caza.

En el palacio tenía un gran campo de caza. Allí criaba toda clase de corzos y ciervos. Cuando no tenía nada que hacer el emperador Kangxi se iba con sus hombres a cazar montado en su caballo.

Un día, cuando el emperador Kangxi regresaba de cazar, cruzando un pueblo vio que en el patio de una casa había tres bueyes. Los tres eran realmente grandes, robustos, brillantes por lo gordos que estaban.

23. El Palacio de Verano está al Oeste de Pekín. Era el palacio que usaban los emperadores en verano para su recreación. Famoso por la belleza de sus jardines, corredores, barco de mármol, lagos etc. Tanto en invierno por la nieve, como en primavera por el color, es impresionante su belleza.
24. La dinastía Qing 清朝 era de raza manchú y reinó del 1644-1911; siendo la última dinastía del imperio chino.

康熙一看就不走了，他太喜欢这三头牛了，非要把这三头牛带回到皇宫里去。

牛的主人没有办法，只好把牛送给了皇上。

康熙把牛带回皇宫里，派专人饲养，他每天还要到牛棚里去看几次。

这三头牛在皇宫里倒也相安无事，不过有一件事叫饲养人没办法：三头牛白天好好儿的，一到了半夜，三头牛就不见了，天亮之前，牛又回来了。

天天如此。

开始，饲养人不敢报告，可后来又害怕哪天牛万一不回来，皇上怪罪下来，担当不起，于是就把事情的经过禀报了康熙皇帝。

皇上开始不信。到了半夜，他亲自去看了几次，发现的确如此。

El emperador, apenas los vio, se los quedó mirando sin moverse, quedó encantado con ellos y decidió llevárselos a palacio de cualquier manera. El dueño de los bueyes, sin poder hacer nada, no tuvo más remedio que dejar que el emperador se los llevara.

Kangxi por fin se llevó los bueyes y encargó a uno de sus sirvientes que cuidase de ellos.

El cuidador todos los días iba varias veces a verlos. Aunque es cierto que los tres bueyes en el palacio estaban cuidados y seguros, sin embargo, sucedía algo que el cuidador de bueyes no podía entender.

Los tres bueyes durante el día estaban muy tranquilos, todo normal, pero en cuanto llegaba la noche, los tres desaparecían, y apenas comenzaba a amanecer los tres bueyes volvían.

Todos los días sucedía lo mismo, al principio el cuidador no pensaba decírselo al emperador, pero después se preocupó y tuvo miedo de que quizá un día los bueyes no volviesen, y si esto pasase el emperador le culparía de lo sucedido, así que era mejor contárselo inmediatamente.

El emperador Kangxi al principio no se lo creía, pero cuando se hizo de noche él mismo, en persona, se dirigió varias veces a los establos, descubriendo que era cierto lo que le había contado.

　　于是他派了很多人马，日夜守候在牛棚的围墙外，监视这三头牛的动静。

　　这天又到了半夜时分，只听见一阵阵的风声伴随着牛蹄子的哒哒声，守候在外面的骑士，猎手忙打起精神。就在这时，只见三条黑影"忽"地飞出围墙，骑士、猎手个个吓得魂不附体，忙向康熙报告。

　　康熙命令他们快去追赶。

　　这时，猎手们骑着快马，顺着牛蹄子的声音追了过去。这三个黑影飞出了西直门，又继续往北，一直到了昆明湖。当马队赶到的时候，只见这三头牛正在湖里洗澡呢。

Entonces, envió a un gran número de su caballería para que noche y día custodiase el establo, haciendo guardia a su alrededor, vigilando los más leves movimientos de los tres bueyes.

Ese día, en cuanto llegó la noche, sólo se escuchaba ráfagas de viento y dentro del establo el leve sonido: «*da da da*», de las pezuñas de los bueyes, mientras fuera toda la caballería y los cazadores, con ánimo encendido, estaban preparados y sumamente alerta. Justo, en ese momento, ven tres sombras negras que, de repente, salen volando, rodeando la muralla.

La caballería y los cazadores se pegaron un susto de muerte, y corrieron a decírselo al emperador; éste mando inmediatamente perseguirlos.

La caballería, los cazadores, montaron rápidamente en sus caballos y siguiendo el sonido de las pezuñas de los bueyes los persiguieron.

Las tres sombras negras volaron hacia la puerta del oeste y a continuación giraron hacia el norte, hasta llegar al lago Kunming.[25]

Cuando toda la tropa llegó hasta allí los tres bueyes estaban tranquilamente dándose un baño en las aguas del lago.

25. El lago Kunming 昆明 es un lago artificial situado en el parque del Palacio de Verano.

过了一会儿，康熙皇帝也骑着马赶到了，他说：快去捉！。

猎手，兵丁纷纷跳下水去，可他们哪里是牛的对手？在那么大的湖里，根本就无法靠近牛的身边。

康熙生气了，又叫来大队人马，全都下水去捉牛。

一时间，湖水沸腾，人喊牛叫。人和牛搏斗了好长时间，才抓住了一头，另外两头牛早跳到湖外，向东方腾空飞去。

康熙怕这头牛再跑了，也不把牛带回皇宫了，就把它牢牢地锁在湖岸上。

说也奇怪，天长日久，它就渐渐地化为一头铜牛，头一直向着东方，眼睛睁得圆圆的。

Poco después llegó el emperador a tiempo de verlo también y en seguida ordenó:

—¡Rápido a capturarlos!

Los cazadores y soldados se lanzaron en masa a las aguas, sin orden ni concierto. En semejante lago tan grande ¿cómo iban a competir con los bueyes? Era realmente imposible acercarse por ningún lado a los bueyes.

El emperador irritado llamó a la caballería y les ordenó a todos lanzarse al agua para capturar a los bueyes.

En un momento el lago parecía estar en ebullición. Los hombres gritaban y los bueyes mugían. Bueyes y hombres lucharon por largo tiempo, finalmente, lograron atrapar a un buey; los otros dos habían salido del lago y elevándose hacia el cielo se dirigieron volando hacia el este.

El emperador Kangxi temiendo que el buey que quedaba pudiese escaparse no quiso llevarlo a palacio, sino que decidió amarrarlo con fuerte candado a la orilla del lago.

Pero sucedió algo increíble. Conforme iban pasando los días el buey lentamente se iba volviendo de cobre, con su cabeza siempre erguida mirando hacia el este, con sus redondos ojos siempre abiertos, así permanece hasta hoy.

三个好极了

SAN GE HAO JI LE

从前，有个贫苦的农民，他发明了冬天在温室里种哈密瓜的方法，当他摘下第一个瓜的时候，心里别提多高兴了。

他急忙抱着瓜到城里去换粮食。城里的人看见冬天有这样新鲜的哈密瓜，都很惊奇。

恰巧有一个多嘴的大臣也看到哈密瓜，便把这事报告给国王，贪心的国王下令把农民带到王宫里来。

农民心想：国王有数不清的钱，他一定会出高价买我的瓜。于是，他高高兴兴地带着瓜到王宫。

TRES VECES: ¡ESTUPENDO!

Hace mucho tiempo había un campesino muy pobre que descubrió la forma de cultivar melones durante el invierno dentro de un invernadero.

Cuando llegó el momento de recoger el primer melón, su corazón estaba singularmente contento. Rápidamente se dispuso a llevar su melón hasta la ciudad para cambiarlo por víveres.

La gente de la ciudad cuando vio que en invierno había semejantes melones frescos se quedó muy sorprendida.

Pero, justamente, había en la ciudad un bocazas de funcionario que, en cuanto vio los melones, fue a contar al rey lo que pasaba.

Codicioso el Rey hizo mandar traer al campesino hasta el palacio real.

Mientras, el campesino pensó para sí:

> El rey, ni se sabe el dinero que tiene, seguro que puede comprarme los melones por muy buen precio.

Así resplandeciente de contento llevó los melones hasta el palacio.

国王看到哈密瓜，也感到惊奇，他问道："这是你在冬天种的哈密瓜吗？"

农民回答说："是的，陛下"。

"好极了！"，国王夸奖道。

国王又问："这办法是你想出来的？"

农民说："是的，陛下"。

国王有夸奖道："好极了！"

国王再问："这第一个瓜，你是为了请本王吃才拿来的吧？"
"是的，陛下"。

农民回答的声音明显小了。国王还是夸奖道："好极了！"

国王命人赶快切开瓜，美美地吃了一顿，却没给农民一分钱。

农民失望地走出了王宫，寒风吹来，他觉得肚子饿极了。忽然，他听见对面有人在喊："包子，抓饭！"

El rey en cuanto vio el melón se quedó admirado, y enseguida le preguntó:

—¿Es éste el melón que has cultivado durante el invierno?

El campesino respondió: —Así es, majestad.

—¡Estupendo!, respondió el rey elogiándolo.

Entonces, el rey nuevamente le preguntó:

—¿Eres tú el que ha ideado ese método?

El campesino respondió: —Así es, majestad.

—¡Estupendo!, repuso el rey elogiándole.

Otra vez el rey le preguntó:

—¿Este primer melón lo has traído para invitar primeramente al rey que lo coma?

—Así es, majestad. Respondió el campesino con evidente poca voz.

—¡Estupendo!, volvió a elogiarle el rey.

Entonces mandó que le cortasen rápidamente el melón, y con gran deleite se lo comió, pero al campesino ni un céntimo le dio.

Toda la esperanza del campesino se le había esfumado en el palacio real.

Saliendo, un frío viento empezó a soplar, y comenzó a sentir en su estómago vacío un hambre de muerte. De repente, enfrente de él, escuchó a un hombre que gritaba:

—¡Panecillos… arroz!

原来是一家饭馆，农民想了想，便走了进去。

农民摇了二十个包子，美餐了一顿。吃完他用手指着蒸笼问老板：

"这包子是在那个蒸笼上蒸的吗？"
老板回答："是的"。
农民夸奖道："好极了！"
农民又问："这包子是您做的吗？"
老板回答："是的"。
农民又夸奖道："好极了！"
农民再问："这包子是您端给我吃的，对吗？"
老板不耐烦地回答："是的，是的"。
"好极了！"。

农民说完便往外走。

老板上前一把抓住了他，喊道：

Se trataba de un restaurante; el campesino se paró a pensar un momento y después, decidido, entró.

El campesino dijo querer veinte panecillos, y muy a gusto se los comió.

Cuando hubo terminado de comer señalando con el dedo la cesta, donde se cuecen al vapor los panecillos, le preguntó al dueño:

—¿Estos panecillos se cuecen al vapor en esa cesta?

—Así es, le respondió el dueño.

—¡Estupendo!, le respondió el campesino elogiándole.

El campesino de nuevo le preguntó:

—¿Esos panecillos los has hecho tú?

—Así es, respondió el dueño, nuevamente.

—¡Estupendo!, le respondió el campesino elogiándole de nuevo.

El campesino otra vez le preguntó:

—¿Esos panecillos has sido tú quien me los ha servido para que me los coma, ¿no?

El dueño ya impaciente le contestó:

—Así es, así es.

—¡Estupendo!, dijo el campesino, e inmediatamente, se dirigió hacia la puerta.

El dueño entonces se puso enfrente y agarrándolo lo detuvo, mientras le gritaba:

"你还没有给包子钱，怎么就想走呢？"

农民说：

"我已经给了你三个'好极了'，这难道还不够吗？"

老板气疯了，他还从来没遇到过这样无礼的人。

他大声说：

"说三个'好极了'就想吃包子，天下哪儿有这样的美事"。

老板拉着农民去找国王评理。

国王听了老板的叙述，气愤地问农民："你为什么白吃人家的包子？"

农民理直气壮地说：

—Si aún no me has dado ni un céntimo por los panecillos, ¿Acaso piensas que te irás sin pagar?

El campesino tranquilamente le respondió:

—Yo ya te dije por tres veces: ¡estupendo!, ¿acaso te parece poco?

El dueño se enfureció aún más, en su vida se había encontrado un hombre semejante, con tan poco fundamento. A gritos le dijo:

—¿Crees que con decirme por tres veces ¡estupendo! te puedes comer los panecillos?, pero… ¿en qué parte de la tierra se hace semejante cosa?

Entonces el dueño del restaurante arrastrando al campesino fue en busca del rey para que lo juzgase.

El rey escuchó el relato del dueño e irritado le preguntó al campesino:

—¿Por qué te comes sin pagar los panecillos de los demás?

El campesino, con la conciencia bien limpia, tranquilamente dijo:

陛下，我没有白吃他的包子，当我很荣幸地把冬天种的哈密瓜送给您的时候，您赏给我三个珍贵的'好极了！'，我非常满意。我吃了他的二十个包子后，又把您送给我的三个'好极了'，转送给了他，这难道叫白吃吗？"

国王被农民问得哑口无言，急忙吩咐多嘴大臣，把吃哈密瓜的钱付给了农民。

—Majestad, yo no me he comido sin pagar el pan. Cuando tuve el honor de darle el melón, que yo había cosechado durante el invierno, me entregó tres valiosos: ¡estupendo!, y yo me sentí plenamente complacido. Así que, cuando me comí sus veinte panecillos, yo le di a él los tres ¡estupendo! que su majestad me había dado, ¿acaso puede decir que eso es comer sin pagar?

Ante la respuesta del campesino el rey se quedó mudo, y a toda prisa ordenó al funcionario que le diesen el dinero del melón que se había comido.

倒贴"福"字

DAOTIE《FU》ZI

　　每到春节的时候，中国人往往就在自己家的门上倒着贴上一个"福"字。你知道这是为什么吗？

　　据说在明朝的时候，有一个木匠师傅，他的手艺非常好。他的活儿不仅结实耐用，而且还喜欢在木头上刻出各种各样美丽的花儿。

　　那些花儿呀，就像是真的一样。因为他的手艺高超，所以人们都尊敬地称他为"泰山"。

LA LETRA DE LA FORTUNA[26]

Cuando está por llegar el Año Nuevo Chino los chinos suelen pegar en las puertas de sus casas el carácter (la letra) 福 *fu* al revés, de cabeza para abajo. ¿Saben por qué razón lo hacen?

Cuentan que hace mucho tiempo, durante la dinastía Ming, había un maestro carpintero que poseía una gran habilidad. Todo el trabajo que realizaba no era solamente fuerte y resistente, sino que, además, en la madera que utilizaba para sus construcciones pintaba toda clase de hermosas flores.

Estas flores estaban tan bien hechas que parecían de verdad, porque tenía una destreza realmente extraordinaria, por eso toda la gente le tenía un profundo aprecio y respeto, hasta el punto de llamarle Taishan.[27]

---

26. En china las palabras o «caracteres» tienen tal significado que es como si la palabra contuviese lo que significa. Así, por ejemplo, sucede con el carácter 福 *fu*, muy apreciado por hacer referencia a la felicidad, la fortuna, la buena suerte. La presente historia narra las circunstancias que hicieron que este carácter se ponga del revés en especiales ocasiones.

27. 泰山 *Tai shan* es el nombre de la montaña sagrada por excelencia para los chinos, la más antigua y venerada por ellos entre las cinco montañas taoístas que existen en China. Para ellos más que una montaña es un dios. En la época imperial era visitada por los

意思是他建造的房子像泰山那么坚固。他的技术也是同行中出类拔萃的 "泰山".

谁家要是能请来泰山给造房子，那简直是这家天大的喜事，他们要杀猪宰羊，拿出最好的酒菜来招待泰山和他的徒弟们。

有一次，一个商人想开一家新的商店，好不容易请到了泰山和他的徒弟们为他造房子。

泰山他们日夜加紧干活儿，只用了几天的时间就把商店盖起来了。

商人一看，真是气派：高高的屋顶，粗粗的柱子，上面刻着漂亮的图案。他从来没有见过这么漂亮的房子。

邻居们看了，也纷纷过来表示祝贺。商人高兴极了。

emperadores que acudían a ella para realizar sus ofrendas. Se encuentra en la provincia de Shandong, cerca del río Amarillo, a cien kilómetros al sur de Jinan, con 1.545 metros de altitud posee senderos que llevan hasta la cumbre, dichas rutas fueron construidas por los emperadores para que pudiesen subir todos sus carruajes de escolta hasta la cima para hacer sus ceremonias. Los emperadores solían dar títulos gloriosos a las montañas, concediéndoles los gloriosos títulos de rey igual al cielo o hasta ser elevadas al rango de emperador.

Quiere decir que sus construcciones reflejan la tranquilidad, fortaleza y solidez de una montaña llamada: «Taishan».

Así, sus compañeros de profesión, comparando su técnica con la montaña, le daban, también, el honorable nombre de «Taishan».

Pero, Taishan tenía una peculiaridad y es que cualquiera que quisiera pedirle que le construyese una casa, ya sabía seguro que tendría que prepararle una gran fiesta; hacer la matanza de cerdo y corderos, sacar el mejor vino y la mejor comida para agasajarle a él y a sus aprendices.

Así, sucedió una vez que un comerciante quería hacer una nueva tienda y, después de insistir mucho, al fin consiguió que Taishan y sus discípulos fuesen a construírsela.

Taishan y sus aprendices trabajaron día y noche y en pocos días terminaron la tienda.

El comerciante vio que era realmente majestuosa, con altos techos, gruesas columnas, decoradas con hermosos diseños. Él en su vida había visto construcción tan bonita como ésta.

Los vecinos cuando la viesen no pararían de darle la enhorabuena. El comerciante estaba radiante de felicidad.

他把家里的几头肥猪杀掉，做了漫漫几大桌酒菜，热情地招待泰山和前来祝贺的客人们。

刹猪的时候，主人怕外面的客人把好吃的东西一下子都吃光，泰山师傅吃不上，就把好吃的猪心，猪肝，猪腰，都留了下来。为防止这些东西变味，又放在油里炸了一下儿，然后用纸包了起来，准备给泰山他们带着路上吃。

可是泰山他们不知道主人的想法。

他们等阿等阿，直到所有的客人都吃完走了，也没有看见这些猪肝，猪心什么的。泰山气极了，他决定要给这个商人一点儿颜色看看。

Entonces cogió los mejores cerdos cebados de su casa y los mató, preparó varias mesas llenas de abundante comida y vino. Estaba entusiasmado con el deseo de agasajar a Taishan y a los invitados que vendrían para felicitarle.

Cuando mataba los cerdos el comerciante pensó que quizá los invitados de fuera se comiesen las mejores partes del cerdo, no dejando nada para el maestro carpintero, así, temiendo que Taishan no lo probase, decidió sacar las mejores partes del cerdo, el corazón, el hígado y el lomo y dejarlas aparte. Y para evitar que éstas perdiesen su sabor, les puso un poco de aceite y las hizo freír; después las envolvió haciendo un paquete.

Cuando estaba todo preparado se lo dio a los aprendices de Taishan, para que se lo llevasen y pudiesen comérselo por el camino de regreso.

Pero ni Taishan ni los suyos sabían nada sobre lo que había hecho el dueño de la casa, así que llegado el momento del banquete ellos esperaban comer sus partes favoritas de la carne y esperaban… y esperaban… hasta que todos los invitados terminaron de comer, pero… ni rastro de lo que más les gustaba del cerdo, el hígado, el corazón, etc.

Taishan se enfadó muchísimo… y entonces decidió hacer algo para darle su merecido al mercader.

夜深了，人们都已经入睡了，一切都静悄悄的。
泰山和他的徒弟们却没有睡，他偷偷地让徒弟们到
新盖好的商店里，把支撑房子的柱子都倒了过来，
因为据说这样会使商店的生意非常不好。

第二天早上，泰山他们就像什么也没发生一样，
吃完早饭，就离开了商人的家。临行前，主人送给
他们一大包路上吃的东西。

泰山一边走，一边还在生商人的气。

不知不觉已经走了很远的路，一个徒弟累了，就
对泰山说：

"师傅，我们休息一会儿，坐下来吃点儿东西
吧"。

泰山他们打开商人送的包裹，大吃一惊，原来里
面除了馒头以外，还有满满一包炸好的猪心，猪肝
和猪腰。

La noche era avanzada, toda la gente dormía profundamente, todo estaba silencioso. Pero Taishan y sus discípulos no dormían, él a escondidas mandó a sus discípulos ir hasta la tienda recién construida y coger la parte superior que sostienen las columnas[28] y ponerla del revés, porque, según se dice, cuando se hace así el negocio va muy mal.

Al día siguiente por la mañana, Taishan y sus discípulos, como si nada hubiese pasado, abandonaron la casa del comerciante después de desayunar, y justo antes de salir el señor les dio una bolsa de comida para el camino.

Taishan mientras caminaba aún pensaba en el enfado que tenía con el comerciante.

Así, sin darse cuenta, caminaron un gran trecho y uno de sus aprendices se sintió cansado y sugirió:

—Maestro, vamos a sentarnos a descansar un poco y comemos algo.

Entonces, abriendo la gran bolsa que les había dado el comerciante, se quedaron pasmados, además del pan de arroz, todas las cosas que buscaban el primer día estaban allí y en abundancia, corazón, hígado, las mejores partes del cerdo.

---

28. Es una especie de cornisa situada a la entrada, típica en la arquitectura china, donde suelen colocar bellos caracteres chinos, acordes con el negocio o con las celebraciones.

泰山这才知道是自己错怪了主人，心里惭愧极了，他急忙叫过徒弟，对他们说：

"我写几个字给你们，赶紧带回去贴到商店的柱子上"。

说着，他从自己的包里拿出几张红纸，在上面写了个"福"字。

交给了徒弟，嘱咐他们一定要倒着贴，还要让别人大声念："福到了！"。

徒弟们赶到商店的时候，正赶上商人在庆祝开业，他们连忙把 "福"字倒贴在柱子上。

Cuando Taishan lo vio se dio cuenta de su mala acción al haber juzgado tan mal al comerciante y se sintió profundamente avergonzado.

Rápidamente llamó a sus discípulos y les dijo:

—Voy a escribir algo y os lo voy a dar, a toda prisa debéis regresar hasta la tienda y lo pegáis justo en la parte que pusisteis del revés encima de las columnas.

Cuando terminó de hablar sacó de su macuto unos papeles rojos y escribió encima el carácter 福[29] *fu*.

Se lo dio a sus discípulos, diciéndoles que lo tenían que pegar al revés, recomendándoles que dijesen a la gente que debían decir en alta voz:

—La felicidad, la abundancia, ¡han llegado!

Los aprendices llegaron a la tienda justo en el momento en que también lo hacía el dueño que se disponía a celebrar su inauguración, así que a toda prisa pegaron el 福 *fu*, vuelto del revés con la cabeza para abajo.

29. Es característico del pueblo chino decorar puertas y paredes con caracteres, ya que la caligrafía china por su belleza está considerada un arte. Así mismo para las fiestas o acontecimientos importantes, como bodas, inauguraciones, fiestas de año nuevo, etc. usan caracteres propios de dichos eventos, especialmente el 福 *fu*, porque significa, justamente, la abundancia de éxito y felicidad.

人们都很奇怪，问他们：
"为什么要倒着贴呢？"

徒弟们说：

"这可不是倒贴，这是福到了。你们要是多说几句'福到了'，就会发财的！"

后来，这家商店的老板真的发了大财。

从此以后，人们就把这个习惯扬在过年中。

所以，现在一般商店开业或者过春节，往往都在门上倒贴一个"福"字，意思是福到了。

La gente miraba muy extrañada y les preguntaron:

—¿Por qué lo pegáis al revés?

Los discípulos les contestaron:

—Esto no es que esté al revés, sino que significa que la felicidad y la abundancia ya han llegado, todos ustedes deben de decir esta frase con fuerte voz: «¡la felicidad, la abundancia de bienes han llegado!», entonces la riqueza augurada se hará realidad.

Después sucedió que, ciertamente, el dueño de la tienda tuvo éxito y logró acumular una gran riqueza.

Esta costumbre pasó después a usarse en la celebración del año nuevo chino, como sigue hasta ahora.

Si se inaugura un negocio o se celebra la fiesta de primavera, la gente acostumbra a pegar en sus puertas el carácter 福 *fu* al revés, porque eso quiere decir que a esa casa o lugar ya ha llegado la buena suerte, la abundancia de riqueza y felicidad.[30]

30. Es como si los caracteres chinos tuviesen vida y dan aquello que expresan. Así, colocando boca abajo el carácter de la felicidad significa que está felicidad se derrama sobre las personas de ese lugar, dándoles en este caso la fortuna y la felicidad que representan. Por ello se coloca al revés, hacia abajo, como si de él se desprendiese su contenido de abundancia de bienes.

幸福鸟

XINGFU NIAO

从前，西藏是一个十分荒凉的地方，那里没有河流和田地，没有温暖和幸福，也没有树木和青草。

住在那里的人整年过着吃不饱，穿不暖的日子，谁也没见过幸福是啥样子。但是，人们相信世界上一定有幸福。

老年人说：

"幸福是一只美丽的鸟，它住在东方很远很远的雪山上，它飞到哪里，哪里就有幸福。但是有三个老妖怪守着幸福鸟，它们吹吹胡子就能要人的命。每年都有人去寻找幸福鸟，可是只见人去，不见人回"。

这一年，乡亲们派了聪明，善良，勇敢的青年汪嘉去找幸福鸟。

EL AVE DE LA FELICIDAD

Hace mucho tiempo XiZang[31] era un apartado desierto, allí no había ni ríos ni campos, no había ni calor ni felicidad, ni tan siquiera árboles o verdes prados.

Las gentes que vivían allí pasaban los años sin tener lo suficiente para comer, ni la suficiente ropa de abrigo en los días fríos. Nadie en aquel lugar conocía la felicidad. Pero todos estaban seguros de que, en algún lugar del mundo, ésta existía.

Los ancianos decían:

—La felicidad es una hermosa ave, que vive lejos... muy lejos, en las altas montañas nevadas, y a donde ella vuela, allí lleva la felicidad. Pero hay tres viejos monstruos que custodian el ave de la felicidad.

—Estos con solo hacer soplar sus bigotes le quitan la vida a la gente. Cada año hay algunos que van en busca del ave de la felicidad, los ven partir, pero no los ven regresar.

Un año los campesinos decidieron enviar a WangJia, un joven inteligente, bueno y valiente, en busca del ave de la felicidad.

31. El XiZang 西藏自治区 es la actual región autonómica del Tibet.

临出发之前，姑娘们向他敬青稞酒，母亲们往他头上撒青稞，祝福他一路平安。

汪嘉上路了，他往东走了很久，远远地看见一座大雪山，山上的雪像银子一样闪闪发亮。

这时候，突然出现一个黑胡子妖怪，它用乌鸦一样的嗓音叫着：

"你是谁？好大的胆子！来这里干啥？"

汪嘉说：

"我叫汪嘉，我来找幸福鸟"

老妖怪说：

"你要想找到幸福鸟，就要先杀死洛桑的妈妈，不然， 我要处罚你 让你再乱石滩上走一千里！" 。

汪嘉说：我爱我的妈妈，也决不杀死别人的妈妈，你爱怎么办就怎么办。

Antes de partir las jóvenes le ofrecieron vino verde y las madres pusieron sobre su cabeza granos de cereales verdes, bendiciéndole y deseándole buen viaje.

WangJia se puso en camino. Dirigiéndose hacia el este caminó hasta muy lejos. Desde la distancia miró la gran montaña nevada, tan resplandeciente como si fuera de plata. En ese momento, de repente, apareció un monstruo de bigote negro.

Éste con una voz que parecía un cuervo le dijo:

—¿Quién eres tú? ¿Tan valiente eres? ¿Qué has venido hacer aquí?

WangJia respondió:

—Me llamo WangJia, y voy en busca del ave de la felicidad.

El viejo le dijo:

—Si quieres encontrar el ave de la felicidad tendrás que matar primero a la madre de LuoSang, de lo contrario ¡te castigaré, y haré que el camino que recorres sea un pedregal de mil kilómetros!

WangJia le respondió:

—Yo amo a mi madre, cómo puedo matar a la madre de alguien, el amor es así, no puede ser de otra manera.

老妖怪发怒了，立刻吹动它的长胡子。转眼间，平平的道路变成了乱石滩，每块石头都锋利的像刀子。汪嘉刚刚走完几十里路，靴子就磨破了。

又走完几十里，脚也磨破了，流出了鲜血。好难走的路呀，但是汪嘉没有后退。

他想：

"乡亲们都在等着我带回幸福鸟，我必须向前走"。

后来他的脚实在不能走了，就索性爬着向前，衣服磨破了，臂膀也磨破了。

就这样，汪嘉终于走过了乱石滩。

这时，又一个黄胡子妖怪出现了，它用刮大风一样的声音对汪嘉叫道：

"你想见到幸福鸟，得先毒死思郎那老头子，如果你不干，我就饿死你！"

El viejo monstruo se puso furioso, inmediatamente sopló, moviendo sus largos bigotes, y en un abrir y cerrar de ojos el llano y liso camino se convirtió en un pedregal; cada piedra era como un afilado cuchillo.

WangJia, apenas había recorrido noventa kilómetros y ya sus zapatos se habían roto, otros noventa kilómetros más y sus pies también estaban heridos, la sangre comenzó a correrle. Era realmente doloroso caminar por ese sendero, pero WangJia no retrocedió en su empeño.

Pensaba:

> Todos los campesinos estarán esperando mi regreso con el ave de la felicidad. Debo seguir adelante.

Poco después sus pies ya no lograban caminar porque no podía ni ponerlos en el suelo, entonces con decisión comenzó a arrastrase, la ropa se le destrozó, los brazos también se le laceraron. Pero, WangJia, a pesar del gran sufrimiento, recorrió todo el camino de piedras.

Entonces, apareció un monstruo de bigote rubio, quien con voz como de gran viento le dijo a WangJia:

> —Si tú piensas encontrar el ave de la felicidad, tendrás primero que dar un veneno de muerte al anciano SiLang, ¡si no te atreves a hacerlo, entonces, yo te haré pasar un hambre mortal!

汪嘉说：

"我不干！我喜欢我的爷爷，也决不害别人的爷爷！"

老妖怪吹长胡子，汪嘉的干粮袋被大风刮得无影无踪，眼前是一片大沙漠，没有一点儿可吃的东西。

汪嘉勇敢的走进了沙漠。走了五天，他饿的头昏眼花。又走了五天，它的肚子饿得像刀割一样疼。汪嘉走出大沙漠的时候，已经成了皮包骨的人了。

这时后，一个白胡子老妖怪挡住了汪嘉。它用打雷一样的声音说：

"你想见到幸福鸟，就得把白马姑娘的眼珠送给我做礼物，你如果敢说一个'不'字，我就挖下你的眼珠"。

汪嘉说：

"姑娘美丽的眼睛，怎么能送给你当礼物？我才不干呢！"。

WangJia, le contestó:

—¡Yo no haré eso! Yo quiero a mi abuelo, ¡cómo puedo hacerle daño al abuelo de alguien!

Entonces, el viejo monstruo sopló por sus largos bigotes, y el fuerte viento hizo que las provisiones que WangJia tenía en sus bolsillos desaparecieran sin dejar rastro; ante él sólo aparecía un gran desierto, donde no había lo más mínimo que se pudiera comer.

WangJia valientemente entró en el desierto. Caminó durante cinco días, tenía tanta hambre que estaba mareado y todo lo veía borroso. Caminó otros cinco días y su estómago le dolía tanto que parecía le cortasen con un cuchillo.

Cuando finalmente WangJia salió del desierto todo él no era más que piel y huesos.

Entonces, un viejo monstruo de blancos bigotes se le puso delante y con voz de trueno le dijo:

—Si piensas encontrar el ave de la felicidad, tendrás primero que darme de regalo los ojos de la joven BaiMa, pero si me das un «no» de respuesta, entonces, yo te arrancare los ojos.

WangJia, le respondió:

—Si son tan bonitos los ojos de la joven, ¿cómo te los voy a dar a ti como regalo? ¡Yo no me atrevería a hacer eso!

老妖怪气得吹起了长胡子，汪嘉的眼珠立刻跳了出来。他变成了瞎子，跌跌撞撞地摸索着走完了最后的路程。

当他爬到雪山顶上的时候，已经筋疲力尽了。

忽然，汪嘉听到一个慈祥，温柔的声音：

"我是幸福鸟，可爱的年轻人，你是来找我的吗？"

汪嘉高兴极了，他对幸福鸟说："我是来找你的，我们那里的人天天盼你，到我们那里去吧！"

幸福鸟答应了汪嘉的请求。它用翅膀轻轻抚摸汪嘉的眼窝，汪嘉的眼珠又长出来了，而且比以前更明亮了。幸福鸟请汪嘉吃点心，汪嘉吃完后，身上的伤都好了， 而且肌肉也更结实了。

Entonces, el viejo monstruo sopló y sopló, alargando sus bigotes, y los ojos de WangJia inmediatamente se le salieron.

De esta manera se quedó ciego, así tropezando y chocando, a tientas y tambaleándose recorrió el último tramo del camino. Cuando, arrastrándose, consiguió llegar hasta la cumbre de la montaña nevada estaba completamente extenuado, había agotado todas sus fuerzas.

De repente WangJia, escuchó una tierna y suave voz:

—Yo soy el ave de la felicidad, joven encantador, ¿has venido a buscarme?

WangJia se llenó de alegría y le dijo al ave de la felicidad:

—Sí, así es, he venido a buscarte, porque en mi pueblo, desde siempre, ansiosos te estamos esperando. ¡Vamos, vente con nosotros!

El ave de la felicidad aceptó la petición de WangJia.

Entonces, usando sus alas, con suavidad acarició el hueco de los ojos de WangJia, y sus ojos volvieron a crecerle, incluso más brillantes que antes. El ave de la felicidad invitó a WangJia a comer un poco, y cuando hubo terminado de comer todas las heridas de su cuerpo se habían curado y, no sólo eso, hasta estaba más fuerte y robusto.

然后，汪嘉骑着幸福鸟飞回到家乡的山顶上。

幸福鸟问：

"你要什么呢？"

汪嘉回答：

"我们要温暖和幸福，要森林和鲜花，还要田地和河流"。

幸福鸟在山顶上用清脆的声音叫了起来。

第一声，太阳钻出了乌云，柔和的风送来了温暖；

第二声，山上山下长出了连绵不断的大森林，山花开放，百鸟齐鸣.

第三声，山下出现了清澈的河流和碧绿的田野。

从此，这个贫穷荒凉的地方变成了人间乐园。

Después, WangJia, se subió sobre las alas del ave de la felicidad y juntos volaron de regreso hacia la aldea, en las montañas.

El ave de la felicidad le preguntó:

—¿Qué quieres que haga por ti?

WangJia le respondió:

—Nosotros queremos calor y felicidad, bosques y flores, también tierra y ríos que por ella corran.

Entonces, el ave de la felicidad, desde lo alto de la montaña, con voz melodiosa comenzó a ordenar:

Primero llamó al sol que, perforando las nubes, salió y una suave brisa trajo un agradable calor.

A su segunda llamada empezó a crecer un largo y continuado bosque, por toda la montaña, las flores comenzaron a florecer, y cientos de pajarillos cantaron al unísono.

A su tercera llamada apareció en la ladera de la montaña un río de cristalinas aguas con una verde campiña. Así, desde entonces, aquel pobre y desierto lugar se convirtió en el paraíso del mundo.[32]

32. El Tibet posee una variedad de paisajes impresionantes, compuestos de escarpadas escalas de valles de altura, con largos e innumerables ríos y lagos, que circulan entre majestuosas montañas en medio de verdes praderas interminables. Todo ello junto, en extensión y belleza, no se encuentra en ningún otro sitio del mundo.

棒槌姑娘

BANGCHUI GUNIANG

在中国的东北，老百姓把人参叫做"棒槌"，关于棒槌的故事可多啦。

那是在很久以前的一个春天，山上的积雪融化了，雪水顺着山坡流到江里。水手们把冬天砍下来的木材扎成木排，顺着江水送出山外。

江边上矗立着一座石头山。

晴天的时候，经过这里的水手可以从江水的倒影里看见山上站着一个姑娘，这姑娘身穿绿衣绿裤，头上戴着一朵红得耀眼的海棠花，美丽极了。

En el nordeste de China, la gente del pueblo conoce el ginseng con el nombre de *bang chui*, hay muchísimas historias sobre ello.

Se cuenta que, en tiempos muy lejanos durante la primavera, cuando la nieve de la montaña comenzaba a derretirse, y el agua de la nieve corría deslizándose por la ladera de la montaña hasta alcanzar el río, los marineros aprovechaban para atar la madera de los árboles que habían talado durante el invierno y con ellos, bien sujetos, construían balsas, que luego trasladarían sobre las aguas del río hasta fuera de la montaña.

Dicen que al lado del río se elevaba el pico de una escarpada montaña.

Cuando el día estaba claro, al cruzar este lugar, los marineros podían ver sobre el agua del río la imagen reflejada de una mujer que estaba en lo alto de la montaña.

Esta mujer iba vestida toda de verde, y encima de su cabeza resplandecía el rojo de las flores de manzano silvestre. Era realmente preciosa.

33. Ginseng.

可是当他们抬头望石头山的时候，光秃秃的并没有姑娘，那里只长着一棵棒槌，棒槌上顶着火红的棒槌籽。

年老 的水手说，这是山上的棒槌姑娘想过人间的生活，才在那里日夜企盼着呢。

日子久了，这件事被一个恶霸东霸江知道了，他雇了许多水手去放排，他想夹在水手中间， 去偷看棒槌姑娘。

木排出发了，在经过大石山的时候，东霸江在水里的倒影中果真看见了棒槌姑娘。"太美了！"东霸江的眼睛都看直了。他大嘴一咧，说：

"今天让我碰上了，你就别想跑了！"

东霸江吩咐把木排靠岸，让水手们上山去抓棒槌姑娘。可那山没有一个沟，一个坎，直上直下陡极了，人根本无法爬上去。再说，水手们谁也不想为东霸江去抓棒槌姑娘。

Pero en el momento en que los marineros levantaban la cabeza y miraban hacia el pico de la montaña todo desaparecía, no había ninguna mujer. En su lugar solo crecía una vara de Bangchui, de Ginseng, que lleva en la punta rojos granos de semilla.

Los marineros más ancianos dicen que la joven de la montaña ansía la vida humana y desde allí con paciencia la aguarda noche y día.

Mucho tiempo después sucedió que el malvado Dong Bajiang supo de estos acontecimientos y contrató a gran número de marineros para que fuesen a navegar, estando él en medio de ellos pensaba presionarles para ir a apoderarse furtivamente de la joven Bangchui.

La balsa se fue deslizando por el río hasta que llegó al lugar. Cuando cruzaban el pico de la montaña Dong Bajiang pudo ver realmente a la joven Bangchui, reflejada en el agua. ¡Qué preciosa! se dijo. Dong Bajiang tenía los ojos fijos en ella y embobado dijo:

—Hoy serás mía… ¡No pienses que escaparás de mí!

Entonces Dong Bajiang mandó que arrimasen la barca a la orilla y que los marineros trepasen por la montaña para atrapar a la joven Bangchui. Pero allí no había ningún paso, era todo una subida escarpada y abrupta ladera. Nadie se atrevía lo más mínimo a subir a la montaña. Además, nadie quería atrapar a la joven Bangchui.

东霸江一看水手们不动，忙说：

"谁能抓来棒槌姑娘，我就赏他十两银子。"

喊了一会儿，还是没有人响应。

东霸江又喊：

"给二十两！""三十两！""四十两！。。。
水手们还是一动不动。东霸江气坏了，他举起手中
的鞭子，使劲儿抽打水手们。

这时，一个叫水生的水手站了出来，他说：

"别打了，我去。"

说完，头也不回地向山上爬去。水生真的去抓棒
槌姑娘吗？不是。他是想给棒槌姑娘送个信，让她
赶快离开这里，因为东霸江是不会善罢干休的。

Dong Bajiang viendo que los marineros no se movían dijo:

—Quien esté dispuesto a atrapar a la joven yo le daré en recompensa diez *liang*[34] de plata.

Les volvió a gritar poco después, pero nadie le respondió.

Dong Bajiang volvió a gritar:

—¡¡Le daré veinte *liang*… treinta *liang!!..* Cuarenta *liang*…! pero los marineros seguían sin moverse.

Dong Bajiang entonces montó en cólera y levantando el látigo, lleno de furia, empezó a golpear a los marineros.

En ese momento un marinero llamado Shuisheng se puso en pie y le dijo:

—¡Basta! ya no les golpees, yo iré.

En cuanto terminó de hablar no volvió a mirar para atrás, se dirigió a la montaña y comenzó a trepar. ¿Realmente Shuisheng pensaba atrapar a la joven? Nada de eso.

Él sólo quería llevar a la joven Bangchui un mensaje, decirle que abandonase ese lugar, lo más rápido posible, porque el malvado de Dong Bajiang no se proponía hacer nada bueno.

---

34. El *liang* 两 significa 'dos', pero en este caso hace referencia a una medida de peso chino que equivale a 0,05 kg.

　　水生在陡峭的山上吃力地爬着，他的手已经流出了鲜血。刚刚爬到半山腰，脚下一滑又滚了下来，幸好被一棵树挡住了。

　　水生又继续往上爬，他一边爬一边嘴里念叨着：

　　"棒槌姑娘，棒槌姑娘！"

　　水生终于爬到了上顶，他一眼就望见了那棵大棒槌，却因疲劳过度昏了过去。当他醒过来的时候，眼前坐着一个美丽的姑娘，那长相和他们在水里看到的一模一样。水生急忙说：

　　"姑娘，你快躲躲吧，黑心的东霸江要来抓你了。"

　　姑娘平静地说：

　　"你放心吧，他不会那么容易就抓住我。"

　　说完，棒槌姑娘朝山下看了看。

Shuisheng, comenzó a trepar con gran esfuerzo a través del abrupto y severo declive de la montaña. Sus manos comenzaron a sangrarle y cuando apenas había alcanzado la mitad de la montaña, de repente, su pie resbaló y rodó hacia abajo, por fortuna su caída fue detenida por un árbol.

Shuisheng continuó trepando, por un lado, trepaba arrastrándose y por otro sus labios susurraban:

—¡Joven Bangchui, joven Bangchui!

Shuisheng, finalmente, arrastrándose llegó hasta la cima de la montaña y, en cuanto miró, sus ojos descubrieron una gran rama de bangchui, pero la fatiga era tan grande que perdió el sentido. Cuando por fin despertó delante de sus ojos estaba sentada una bella joven cuyo rostro y fisonomía eran exactamente iguales a los de la joven que los marineros veían reflejada en el agua.

Shuisheng nervioso le dijo:

—Joven, debe escapar de aquí rápidamente, que el perverso Dong Bajiang quiere atraparla.

La joven serenamente le contestó:

—Tranquilo, no creas que él puede atraparme tan fácilmente.

En cuanto hubo terminado de hablar, la joven Bangchui echó un vistazo hacia abajo de la montaña.

东霸江从水中看见棒槌姑娘和水生坐在一起说说笑笑，亲亲热热，气极了。

他顾不上山陡，也向山上爬去。爬到半山腰，他抬头望去，棒槌姑娘仿佛就在眼前。他猛地一扑，什么都没有，棒槌姑娘像运彩一样，飘向远处去了。

东霸江不肯罢休，又向前去追。眼看棒槌姑娘就在前面了，他伸手一抓，还是什么也没抓到。

棒槌姑娘对水生说：

"这样的恶人，留他在世上有什么用？让他下去吧！"

说完，伸手一指东霸江，黑心的家伙就滚到江水里去了。

从此以后，水手们放排经过大石山的时候，还是可以看到水中姑娘的倒影，不同的是，在棒槌姑娘的身边，还站着勇敢的水生。

Mientras, Dong Bajiang desde el río miraba y veía a la joven Bangchui sentada al lado de Shuisheng. Juntos hablaban y reían cálidamente, entonces, todo enfurecido, se llenó de rabia. Y aunque, Dong Bajiang, no era capaz de subir a la montaña, se dirigió hacia ella y comenzó a trepar.

Trepó hasta la mitad de la montaña, entonces levantó la cabeza y tuvo la sensación de que estaba viendo justamente delante de sí a la joven Bangchui. Pero, de repente, en un pis pas... no había nada, había desaparecido. Bangchui era igual que una nube, flotando se iba alejando.

Dong Bajiang no cesaba en su empeño y continuaba adelante persiguiéndola. Sus ojos veían a Bangchui delante de él y sus manos se alargaban para atraparla, pero nada atrapaba.

La joven Bangchui le dijo a Shuisheng:

—¿Esta clase de hombres malvados de qué sirven en el mundo?, dejémoslos que se hundan.

En cuanto terminó de hablar, alargando la mano señaló a Dong Bajiang, y el fulano, de corazón perverso, fue a parar hasta lo más profundo de las aguas.

Desde entonces, los marineros, cuando cruzan en fila la gran roca de la montaña, continúan viendo reflejada en el agua la figura de una joven; y en ocasiones, junto a la joven Bangchui, también se puede ver al valeroso joven Shuisheng.

端午节

DUANWU JIE

端午节是每年的农历五月初五。这一天，人们高兴的敲锣打鼓，举行划龙舟比赛。

一排排龙舟在水面上飞快地划着，可热闹了。另外，这一天还要吃香喷喷的粽子。

所以，无论是大人还是小孩儿都喜欢这个节日。这个节日是为了纪念大诗人屈原而定下来的。

屈原是中国历史上第一个大诗人，他的诗歌至今还被人们广为传诵。他不光有学问，会写诗，同时还是一个有远见的政治家。

LA FIESTA DE LAS CANOAS DRAGÓN

Cada año, a inicios del quinto mes lunar, en China se celebra la fiesta de las canoas dragón. En ese día la gente está muy contenta y lo celebra al ritmo del sonar de los tambores con el que reman en sus canoas con figura de dragón; participando en las competiciones de remo que se realizan. Sobre las aguas del río la larga fila de las canoas con forma de dragón parece volar, en medio de un entusiasta ambiente festivo.

Otra forma de celebrar ese día es comer los sabrosos y aromáticos *zong zi*.[35] Por eso, tanto a los mayores, como a los pequeños, a todos les gusta de forma especial esta fiesta de las canoas dragón. Esta fiesta la celebran en honor del famoso poeta QuYuan, manteniendo siempre viva su memoria. QuYuan es el primer gran poeta en la historia de China, sus poemas, hasta ahora, se siguen recitando y se difunden ampliamente.

QuYuan no solamente era un hombre culto y un poeta, sino que, al mismo tiempo, tenía una gran clarividencia política.

---

35. Los *zong zi* 粽子 son unos pastelitos de arroz con verduras, carne etc., envueltos en hojas.

他是战国时期楚国的大臣。楚国是南方的一个国家，不如北方的秦国强大，所以秦国常常来欺负它。

屈原非常热爱自己的国家，他不愿意看到祖国遭受侵略，因为秦国也常常威胁邻近的齐国，所以他就想办法劝楚怀王和齐国联合起来抵抗秦国。

开始的时候，楚怀王还听从屈原的意见，可是后来他身边的一些大臣接受了秦国的贿赂，不想和秦国作对，于是他们就在楚怀王的面前说屈原的坏话。

渐渐地，楚怀王不再信任屈原了，他不仅不听从屈原的意见，甚至不顾屈原的反对。

Durante el periodo de los «Reinos combatientes»,[36] él era un alto dignatario del Reino Chu.

El Reino Chu estaba situado al sur y no era tan potente y poderoso como el reino del norte, el Reino Qin; por eso, con mucha frecuencia, era maltratado por él.

QuYuan, amaba de especial manera a su patria y no estaba de acuerdo con que ésta fuese invadida. Entonces, como también el otro reino vecino, el Reino Qi, era amenazado frecuentemente por sus vecinos del Reino Qin, a QuYuan se le ocurrió aconsejar a su Rey que se aliase con el rey del Reino Qi, para poder oponer resistencia al Reino Qin.

Al principio el rey del Reino Chu escuchó las propuestas de QuYuan, pero después sucedió que algunos de los ministros más cercanos al rey aceptaron soborno del Reino de Qin, por ello no querían enfrentarse a él. Entonces delante del rey comenzaron a hablar mal de QuYuan y de las propuestas de éste.

Lentamente el Rey fue perdiendo la confianza en QuYuan, y no solamente no quiso escuchar más sus ideas, sino que, incluso, hizo caso omiso de la oposición de QuYuan al reino Qin.

36. El periodo de los «Reinos combatientes», se desarrolló entre el 403-222 a. C. y tuvo como protagonistas a los reinos Chu y Qin (楚国 y 秦国), terminando con la victoria del Reino Qin sobre el Reino Chu.

被骗到秦国去订亲求和，想跟秦国结成友好。

结果他一到秦国，就被秦国的国王抓了起来，还逼着他把土地和城市割让给秦国。这时候，楚怀王才知道中计受骗，感觉到屈原的话是对的，他又气愤又后悔，不久死在秦国。

楚怀王死后，他的儿子顷襄王当了国王。

他不仅不吸取他父亲的教训，加紧操练兵马，防御秦国的侵略，反而每天花天酒地，寻欢作乐，不过问国家大事。

秦国得知楚国的新国王是这样，就想发兵来攻打楚国。

一些正直的大臣非常着急，就去劝楚王，哪知这位国王一点儿都不想听他们的话，还把他们都赶了出来。

从此以后，再也没有人敢去劝说楚王了。

Engañado se dirigió hasta el Reino Qin para firmar con él un tratado de paz, pensando que lograría hacer las paces con él. Sin embargo, el fruto de su visita fue otro. Tan pronto como llegó al Reino Qin fue arrestado inmediatamente, y obligado a ceder su tierra y su ciudad al Reino Qin.

Entonces se dio cuenta de la dimensión del engaño que había sufrido y de cuánta razón tenían las palabras de QuYuan; se sintió tremendamente furioso y arrepentido. Poco tiempo después murió en el Reino Qin. Después de morir el rey del Reino Chu, su hijo QingXiang ocupó su lugar en el trono.

Pero él no sólo no aprendió la lección de su padre y preparó las tropas para defender y proteger su reino de la posible invasión del Reino Qin, sino todo lo contrario, se dedicó a malgastar su tiempo en vino y mujeres; andando sólo en busca de placeres. Sin embargo, el problema del Reino era muy grande. El rey del Reino Qin, conocedor de que el nuevo rey del Reino Chu era así, enseguida se dispuso a enviar a sus soldados para que lo atacasen.

Algunos ministros honestos del Reino Chu estaban muy preocupados por lo que sucedía y se fueron a hablar con el rey. Pero ¿quién lo podría imaginar?, el rey no quiso escucharles lo más mínimo, y no sólo eso, además los cogió y los expulsó. Desde entonces nadie más se atrevía a ir a hablar con el rey.

屈原知道了这件事以后，心想：

"他就是把我赶出来，不让我做官，我也要去劝说他"。

果然，屈原勇敢地去劝说了，结果昏庸的顷襄王真的把他的官职罢免了，还把他流放到荒无人烟的南方去了。

屈原被赶走以后再也没有人敢说话了，楚王和那些奸佞的大臣更加荒淫无耻，横行霸道了。

秦国趁机来攻打，一下子就把楚国打败了，楚国的都城也被攻破了，老百姓死的死，伤的伤，逃的逃，悲惨极了。

屈原在汨罗江边听到这个消息，心里又气愤又痛苦，想到自己好端端的一个国家被秦国占领了，自己一生的理想和抱负破灭了，一切都完了。

Cuando QuYuan llegó a saber estos acontecimientos, preocupado, meditaba en su corazón:

> Aunque me coja y me expulse, y no me deje con-
> tinuar mi trabajo en el reino, de igual manera
> tengo que ir a hablar con él.

El valeroso QuYuan fue ciertamente a hablar
con el rey, pero lo único que obtuvo fue que, el
inepto del nuevo rey, no sólo lo destituyese del
cargo, sino que además lo desterrase, llevándolo
a un lugar del sur desértico y despoblado. Después
de que QuYuan hubiese ido a ver al rey nadie
más se atrevió a hablarle.

Entonces el rey del reino Chu junto con aquellos malvados ministros, siguieron con su vida li-
bertina actuando a su antojo. El Reino Qin apro-
vechó, entonces, la ocasión y de un solo golpe
derrotó al reino Chu, la capital del reino fue derrotada, sus gentes morían y morían y los que no
murieron, fueron heridos o huyeron, la situación
fue realmente lamentable. Cuando esta noticia
llegó a QuYuan que estaba a orillas del río MiLuo,[37]
su corazón se llenó de rabia y dolor, pensaba en
el fin de su buena y querida patria, al haber sido
tomada por el Reino Qin, y en sus propios ideales,
anhelos y esperanzas de toda la vida que, con ella,
se habían esfumado, todo había terminado.

---

37. El río MiLuo es el río de Hunan 湖南, provincia de China meridional
y está formado por las corrientes de los ríos 汨 Mi y 罗 Luo.

于是在五月初五这一天，他抱着一块大石头，跳进汨罗江自尽了。

附近的老百姓得知了这个消息后，万分悲痛，他们聚在一起议论：

"要是国王早听屈原的话，楚国也不会落得今天这样悲惨的结局"。

汨罗江边的渔民一听说屈原投江了，连忙划船赶到江边，希望能救活他。它们从早到晚找啊找啊，可是他们来晚了，不但没有救起屈原，就连屈原的尸体也没有找到。他们生怕屈原的尸体在江底被鱼虾吃掉，就回家用苇叶把糯米包成粽子，投到江里，希望鱼虾吃了这些东西，不会再来吃屈原的尸体。

Entonces, justo ese día, el cinco del quinto mes, atándose a una gran piedra se tiró al río Mi-Luo para acabar con su vida.

Las gentes de los pueblos vecinos cuando tuvieron noticia de todo lo sucedido se sintieron sumamente apenadas y entre ellos discurrían diciendo:

—Si el rey hubiese escuchado a su tiempo los consejos de Quyuan, hoy el Reino Chu no habría caído en este desenlace tan lamentable.

Los pescadores de las orillas del río MiLuo, en cuanto oyeron que QuYuan se había arrojado al río, inmediatamente, cogieron sus barcas y se lanzaron al río, con la esperanza de poder salvarle la vida.

Desde la mañana hasta la noche no cesaron en su busca, buscaron y buscaron, pero llegada la noche, no sólo no lo habían podido salvar, sino que ni siquiera el cuerpo de Quyuan habían logrado encontrar. Temieron entonces que, como el cuerpo de QuYuan estaba en el fondo del río, los peces se lo comiesen todo. Inmediatamente decidieron volver a casa y, manos a la obra, comenzaron a preparar gran cantidad de arroz. Cogieron el arroz y usándolo como comida, lo arrojaron al río con la esperanza de que los peces se lo comiesen, y estando así, alimentados, dejasen sin tocar el cuerpo de QuYuan.

从那以后，每到农历五月初五这一天，人们就要举行划龙舟比赛，家家户户还要包粽子，表示对屈原的深切怀念。

Desde entonces cada vez que el calendario chino marca el quinto día de la quinta luna,[38] las gentes cogiendo sus canoas con forma de dragón hacen competiciones y en todas las familias se hacen unos sabrosos pastelillos[39] de arroz glutinoso, usando hojas de caña como envoltura. Con ello quieren mostrarle a QuYuan que sienten por él una sincera y profunda nostalgia.

38. Esta fiesta se celebra según el calendario lunar el quinto día de la quinta luna, hacia primeros del mes de julio según nuestro calendario, variando cada año la fecha según la luna. Los barcos son alargados y llevan delante la forma de una cabeza de dragón. Es la fiesta del día quinto, por los acontecimientos históricos que se vivieron.

39. Estos serían después los famosos *zong zi* 粽子, pastelillos triangulares de arroz glutinosos envueltos en hojas de caña, que se comen de forma especial el día en que se conmemora la muerte de QuYuan 屈原, el quinto día del quinto mes del calendario chino.

腊八粥

LA BA ZHOU

中国人把农历十二月叫 "腊月"。每年到了腊月初八，人们都要喝 "腊八粥"。

腊八粥就是把米、豆子、花生、红枣等八种东西放在一起煮啊，煮啊，熟了的时候，甜津津的，香喷喷的，可好吃了。

这样好吃的粥却有着不平凡的来历呢。

明朝开国皇帝朱元璋，特别有本事，他带领军队打败了敌人，当上了皇帝，可威风啦！可是他小时候，家里非常穷。他只好去给财主放牛。

SOPA DE LEGUMBRES (DE FIN DE AÑO)

En el calendario chino al mes número doce,[40] que es diciembre, le llaman *layue*, que significa justamente fin del año lunar.

Cada año a principios del mes de diciembre, el día ocho, a todos los chinos les gusta tomar una sopa muy especial llamada: *labazhou*.

Labazhou se hace justamente con arroz, granos de soja, cacahuetes, dátiles rojos, etc. Se cogen todos los ingredientes juntos, se mezclan y se ponen a cocer, cuecen y cuecen, y cuando ya está bien cocinado está como para chuparse los dedos, está sabrosa, realmente buena. Pero, esta sopa que ahora toman y que es tan deliciosa, tiene un origen muy singular.

Cuentan que el fundador del reinado de la dinastía Ming, el emperador Zhu Yuanzhang, tenía una especial capacidad y habilidad para conducir a sus ejércitos a la victoria, derrotando a sus enemigos, siendo conocido por todos porque llegó a ser un gran y poderoso emperador. Sin embargo, cuando era pequeño su familia era muy pobre, y no tenía más remedio que trabajar apacentando los bueyes de un terrateniente.

40. Tanto los meses como los días del calendario chino se nombran por numeros.

财主对他一点儿也不好，动不动就骂他，要是不小心做错了事，那就更糟了。

有一天，朱元璋放牛回家的時候，经过一个小独木桥，那个桥实在是太窄了。

牛群走过的时候,特别紧张。

突然　，一头牛脚下一滑，掉到了桥下的小河里去了。

老牛摔坏了后腿,朱元璋害怕极了,他胆战心惊地回到了财主的家。财主一看自己的牛被摔坏，气极了,他把朱元璋关在一间破屋子里,恶狠狠地说:

"牛要是有个好歹,你就别想吃饭!"

就这样,朱元璋被关了三天三夜,都快要饿死了。

El terrateniente no le trataba muy bien y fácilmente le reñía por nada y le pegaba, por ello debía estar muy atento a todo lo que hacía, porque si no lo estaba, y metía la pata en algo, desagradando a su amo, le sucedía algo aún peor, y todo su buen empeño anterior se echaba a perder.

Un día cuando Zhu YuanZhang regresaba a casa, después de apacentar los bueyes, tenía que pasar, justamente, por un pequeño puente de una sola tabla. Aquel puente era estrechísimo, por ello estaba especialmente preocupado porque debía atravesarlo con toda la manada de bueyes. De repente un buey resbaló y fue a dar con su pata al fondo del pequeño río.

El pobre buey al caer se dañó la pata trasera, Zhu YuanZhang se asustó muchísimo, estaba aterrorizado con la sola idea de tener que regresar a casa y encontrarse con el terrateniente.

El terrateniente, en cuanto vio la pata del buey herida, se encolerizó, cogió al pobre muchacho y lo encerró en un cuarto oscuro. Lleno de furia le dijo:

—¡De cualquier manera y, sea como sea que esté el buey, tú ni siquiera pienses que podrás comer!

El tiempo pasaba y Zhu YuanZhang llevaba ya tres días y tres noches encerrado; de seguir así moriría de hambre, no le quedaba ninguna salida.

他只好在这间破屋子里到处乱翻，希望能找到一点儿吃的。可是他找来找去，什么都沒有找到。

突然，"吱吱吱……"几只小老鼠爬了来出来，它们在朱元璋的身边跑来跑去，好像故意在气他一样，绕得他都快晕倒了。

朱元璋大吼一声，那几只小老鼠吓得飞快地跑自己的窝里去了。这时朱元璋想到老鼠的洞里可能有吃的，就开始挖老鼠的洞。挖着挖着，他发现了老鼠的"粮仓"。

小老鼠从财主的家里偷偷地搬来了很多东西，有大米，豆子，红枣，花生等各种各样的食品。

小老鼠的力气小，虽然每样都只有一点点，可是这毕竟是吃的东西啊。

Entonces se puso a revolver toda la ruinosa habitación con la esperanza de encontrar alguna cosa, aunque sea pequeña, que se pudiese comer. Así buscó de arriba abajo... Por todos lados... pero al final no pudo encontrar absolutamente nada.

De repente, (un ruidito): *¡zhii zhii zhii...!* Eran un grupo de pequeños ratoncitos que trepaban. Los ratoncitos correteaban alrededor de Zhu YuanZhang, por delante y por detrás, sin parar de moverse y girar. Salían de aquí para allá, parecía que lo estuviesen haciendo adrede, para ponerle las cosas más difíciles todavía; a su alrededor todo le daba vueltas, estaba a punto de caer desmayado, cuando, de repente, Zhu YuanZhang dio un tremendo grito. Entonces, los pequeños ratoncitos, sobresaltados, regresaron corriendo a su guarida. En ese momento le vino al pensamiento que quizá, los ratoncitos, tuviesen alguna cosa que comer dentro de su escondrijo. Entonces empezó a excavar el agujero de los ratoncitos. El excavaba y excavaba, hasta que al fin descubrió el *almacén de cereales* de los ratoncitos.

Estos animalitos a hurtadillas, muy sigilosamente, se habían ido trayendo muchísimas cosas de la casa del terrateniente. Había arroz, grano de soja, dátiles rojos, cacahuetes, etc. Toda clase de cosas que podría comer. Aunque la fuerza de los ratoncitos era pequeña y tenían poca cantidad de cada cosa: ¡era comida!

朱元璋高兴极了，他用手小心地把大米，红枣等一点儿一点儿地捧起来，找来了一口破锅，把这些东西一快儿放了进去，就开始煮了起来。

还没有煮熟，朱元璋就闻到了锅里冒出的香味，他用鼻子深深地吸了吸："啊，真香！"他的口水都快要流出来了。他耐心地等著这锅粥熟了，就迫不及待地端起锅，"咕咚咕咚"地喝了起来，转眼间就把粥喝完了。

他擦擦嘴，没喝够，还想喝，可是老鼠的 "粮仓"里什么也没有了。

朱元璋只好一边回味刚刚才喝粥的滋味一边想：这是世界上最好吃的东西，我以后要是有了钱，一定天天喝。后来朱元璋做了皇帝，每天都吃山珍海味，小时侯的这件事已经忘得干干净净。

Zhu YuanZhang estaba contentísimo. Con sus manos, con sumo cuidado, iba cogiendo el arroz, los dátiles rojos, etc. Todo uno tras otro y poco a poco lo sacaba y lo sostenía en sus manos.

Encontró una olla rota y en ella metió todo lo que había sacado, entonces lo puso a cocinar. Aún no estaba hecho y Zhu YuanZhang ya empezaba a oler el aroma que salía de la olla. Metía su nariz para aspirar más profundamente: ¡¡Umm, qué bien huele!!

La boca se le hacía agua mientras, pacientemente, esperaba que su comida estuviese hecha. Entonces, afanosamente, se sirvió la comida...: *glu glu glu glu*...

Comenzó a tomársela y en un abrir y cerrar de ojos se la había terminado. Se relamía, aún no había terminado de tomársela y ya estaba pensando en volver a comer, pero en el *almacén de alimento* de los ratoncitos ya no quedaba nada.

A Zhu YuanZhuang no le quedaba otra que consolarse pensando, por un lado, en saborear la gustosa sopa que se acababa de comer, y, por otro lado, pensar: ésta es la mejor comida del mundo, si en el futuro tengo dinero la comeré todos los días.

El tiempo pasó y Zhu YuanZhang llegó a ser emperador, y cada día comía todo tipo de ricos y extraños manjares. Las amarguras que había pasado de pequeño ya las tenía completamente olvidadas.

有一天,他觉得那么多好的东西吃起来都没有味道。¿什么东西才好吃呢?

朱元璋看着满桌子的美味佳淆苦苦地想着。他突然想起来了小时候放牛的事, 想起了那次自己煮的粥。

他立刻叫来厨师,让他像自己当年一样把大米,花生,红枣什么的都放在一起煮。厨师又另外放进了一些糖。

做好后,端给朱元璋。朱元璋尝了尝, 称赞说:

"这才是好吃的东西呢!" 他又让自己的文武大臣们喝,大家也都觉得好吃。因为那一天正好是腊月初八,所以就给这粥取名为"腊八粥"。

Un día, sucedió que todas las cosas buenas que tenía para comer no le agradaban, no sentía ningún deseo de comérselas, no les encontraba sabor. Pensaba:

—¿Qué estará rico para comer?

Zhu YuanZhuang miraba la mesa que estaba llena, rebosante, de suculenta y deliciosa comida, pero todo le parecía amargo, sin sabor.

De repente se acordó de cuando era niño y de lo que le había pasado cuando apacentaba los bueyes y recordó la sopa que él mismo se hizo. Llamó inmediatamente al cocinero, mandándole hacer lo mismo que él hiciera tiempo atrás. Coger el arroz, los cacahuetes, los dátiles rojos y todas las demás cosas y ponerlas juntas a cocer. El cocinero además le añadió un poco de azúcar. Cuando ya estuvo hecha le sirvió. Zhu YuanZhang la saboreaba una y otra vez, finalmente satisfecho dijo:

—¡Realmente esta comida sí que está sabrosa!

Él mismo ordenó a sus militares y ministros que la comiesen, y a todos les pareció riquísima.

Como aquel día era justamente a principios de diciembre, el día ocho, conocido en el calendario lunar chino como *la yue*, a esta comida se la llamó la sopa del día ocho: *Labazhou*.[41]

41. En chino mandarín se dice *ba* (八) para hacer referencia al numero ocho y *zhou* (粥) para sopa.

從那以後，不僅朱元璋，还有他的大臣们也都在这一天煮腊八粥。

渐渐地，这个习俗传到了老百姓当中。于是每到这一天，家家就都要吃这种腊八粥了。

不过，有的地方称这种粥为：八宝粥。

Desde entonces, no solamente a ZhuYuan Zhang le gustaba comer esa sopa, sino también todos sus ministros la cocinaban en ese día…

Así, poco a poco, esa costumbre se fue propagando hasta el pueblo. Por eso, cuando llega esa fecha, a todas las familias les gusta hacer *labazhou*.

También hay otros lugares donde se come esta clase de sopa, pero la llaman *babao zhou*.[42]

---

42. 宝 *(bao)* es el carácter de tesoro, con el que también llaman a esta comida, por ser para ellos *tan rica*.

过年

GUO NIAN

每年的农历正月初一是中国人最重要的节日春节。过春节的时候，人们见面都互相说一声："过年好呢！"。

这就叫："拜年"。 为什么春节见面要说："过年好" 呢？。

在很久很久以前，中国有一个美丽的小村子，那里的人们都非常善良，勤劳，他们过着和平幸福的生活。

EL AÑO NUEVO CHINO

Según el calendario chino el primer día del año es la fiesta de primavera, la fiesta más importante para los chinos. Cuando llega ese día las personas al encontrarse se felicitan diciendo unos a otros a grandes voces: «¡que pases bien el año!».[43] Es su forma de felicitarse,[44] mientras se van visitando a familiares y amigos.

¿Pero, por qué cuando llega la fiesta de primavera se suele usar como expresión de feliz año nuevo, «pasar bien el año»?[45] Veamos:

Hace muchos, muchísimos años, había en China una pequeña, pero muy bonita aldea, donde todos sus habitantes eran gente muy bondadosa y trabajadora. Disfrutaban de una vida llena de paz y felicidad.

---

43. 过年好呢 *¡guo nian hao ne!* es la expresión de felicitación, cuya traducción literal sería, «¿pasaste, atravesaste bien el año?». Salir vencedor de la noche de entrada al año nuevo, entrando bien en el nuevo año.
44. 拜年 *bai nian* o felicitación por año nuevo es la costumbre china de visitar a los familiares y amigos el primer día del año chino para desearles un buen año.
45. El 过年 *guo nian,* además de ser la fiesta del paso al año nuevo es también la fiesta de primavera, porque es justo al inicio de la primavera cuando se celebra.

可是，不知从什么时候开始，有一只叫 "年"的妖怪闯进了小村子，它一到农历十二月三十日的晚上，就跑出来抢吃人们家里的东西，人们害怕极了，想尽了办法，都不能赶走这只 "年"，就只好关紧家里的门窗，不敢发出一点儿声音，眼睁睁地看着它大摇大摆地走进小村子做坏事。

人们对 "年"又怕又恨，很多善良的人们无可奈何，只好离开了家乡。

小村子里的人越来越少了，田园荒芜了，飞禽走兽，花草树木也越来越少了。小村子不再美丽了。

Pero, no se sabe muy bien cómo ni cuándo ocurrió, apareció un monstruo llamado Nian,[46] que irrumpió en la pequeña aldea. Este monstruo, cuando llegaba la noche del día treinta del mes doce del año del calendario lunar chino,[47] (la víspera de año nuevo) entraba corriendo en las casas de las gentes de la aldea y se comía todo lo que encontraba; por eso, todos le tenían un miedo espantoso.

Buscaban por todos los medios una solución para no ser alcanzados por el monstruo Nian, pero no encontraban otra salida que permanecer con todas las puertas y ventanas bien cerradas.

No se atrevían a hacer el más leve ruido, con los ojos bien abiertos, atentos, mirándole entrar contorneándose, recorriendo la pequeña aldea, y haciendo desastres a su paso.

La gente le temía y le odiaba; muchísimos buenos aldeanos no pudiendo hacer nada no les quedó otra solución que abandonar sus casas.

Los habitantes de la pequeña aldea cada vez eran menos, las campiñas y huertas se llenaban de malas hierbas y de toda clase de alimañas, las flores, los prados, los árboles, todo iba desapareciendo. La pequeña aldea dejó de ser lo bonita que era.

---

46. 年 *nián,* en chino, es año.
47. El día 30 del mes doce corresponde al último día del año. En el calendario chino los meses se dicen por orden, por ejemplo: 一月，二月。十二月. Son: mes 1, mes 2,... mes 12. Enero, febrero, etc.

转眼又到了十二月三十日晚上，小村子静悄悄的，这里的最后一户人家也打算马上就要搬走。

突然，远处传来了一声刺耳的叫声，那只凶恶的"年"又闯进了小村子。它已经好几天都没有吃到东西了，饿得快要发疯了。

它嚎叫着，瞪着血红的眼睛，挨家挨户地找东西吃。它从村头跑到村尾，什么东西也没有找到，因为人们差不多走光了。

"年"不甘心，它发疯似地撞开一家又一家的门，眼看着就要闯到最后这户人家了。

他们害怕极了，爸爸着急地对大家说："快跑，快跑！什么都不要拿了，`年`就要来了！"可是妈妈很心疼家里的东西，她慌慌张张地一边拿一边跑。"年"越跑越近了，小孩儿开始哭起来。妈妈带的东西太多了，她几乎跑不动了。

Así, en un abrir y cerrar de ojos, llegó otra vez la noche del día treinta del mes doce y, en la tranquila y silenciosa aldea, la última familia que quedaba se prepara para irse inmediatamente de allí.

De repente, se oye a lo lejos un estridente sonido, solamente puede ser el malvado Nian que se lanza sobre la pequeña aldea. Ya hace muchos días que no ha comido nada, está muerto de hambre. Con los ojos rojos de sangre, desorbitados, grita de dolor mientras casa por casa busca algo que comer.

Pero, aunque revolvió la aldea de pies a cabeza, nada encontró, porque todos los aldeanos se habían ido. Nian, no estaba nada satisfecho y, como si se hubiese vuelto loco, comenzó a golpear las puertas de las casas.

En un momento llegaría hasta la casa de la última familia que quedaba en la aldea. Ellos estaban muertos de miedo, el padre muy nervioso decía:

—¡Rápido, rápido corred! no cojáis nada, ¡Nian está a punto de llegar!

Pero a la madre le daba mucha pena dejar las cosas de la casa, así que nerviosa y aturdida, a la vez que corría, cogía las cosas que encontraba. El monstruo Nian se acercaba cada vez más, entonces, los niños se pusieron a llorar. La madre había cogido demasiadas cosas, así que casi no podía correr.

这时"年"听到了小孩儿的哭声，长着大嘴巴追了过来。爸爸又急又怕，他一把抢过妈妈怀里的东西——有被子，有米，还有一个大铜盆，通通扔到地上，铜盆落地，"哐当！"发出了很大的声音。糟了，"年"听到这么大的响声，肯定会更快地追来！

爸爸妈妈吓坏了，抱起小孩儿拼命地往村外跑。忽然，他们觉得后面没有了声音，爸爸的胆子大些，他停下来，悄悄回过头一看，他愣住了：只见那只"年"站在那个铜盆旁边，好像很害怕的样子，一动也不敢动。

En ese momento el monstruo Nian, que había escuchado el sonido de los niños que lloraban, abriendo su feroz boca empezó a perseguirles. El padre muy nervioso y asustado le quitó a la madre el montón de cosas que llevaba abrazadas: cacharros, vasos, arroz... hasta una gran vasija de cobre... absolutamente todo lo tiró al suelo. La vasija de cobre al caer... *¡¡kuan dang dang!!* hizo un enorme ruido. ¡¡Qué horror!!

> —Nian, al escuchar semejante ruido, seguro que nos perseguirá mucho más rápido.

Así pensaban los padres, muertos del susto. Cogieron, entonces, en brazos a sus hijos, y dispuestos a luchar por ellos hasta la muerte, corrieron hacia las afueras de la aldea.

De repente, parece que no se sentía ningún ruido detrás de ellos. El padre en aquel momento, armándose de valor, se detiene y, con gran cuidado, vuelve la cabeza para mirar, ¡no podía ser cierto lo que veía!: Nian estaba parado justo al lado de la vasija de bronce, y parecía que estaba muy asustado, no se movía ni un pelo.

怎么回事？突然，爸爸明白了，他马上跑到附近的一个村子，叫来所有的人，每个人都拿着一个大盆，他们一边跑一边使劲儿地瞧着盆，"一当——当——当—"，声音传得很远。

¿Qué le pasaba?, de repente el padre lo entendió todo. Inmediatamente se fue corriendo hasta la aldea vecina y llamó a todas las personas, cada una de ellas cogió una vasija de bronce, y comenzaron a caminar a la vez que golpeaban la vasija para que sonase: *¡¡dang... dang... dang!!*, el ruido se escuchaba desde lejos.

果然像爸爸猜想的那样，"年"听到这种声音，怕得不得了，以为来了比它更厉害的妖怪，它掉头就跑，跑哇跑哇，一直跑到很远的大山里，再也不敢回到这个小村子了。

这最后一户人家高兴极了，因为他们不仅没有离开家乡，还敢走了凶恶的"年"。

他们想办法把这个好消息告诉给那些逃离了家乡的人，人们又都兴高采烈地回到了自己的家。他们见面的第一句话都是：

"过年好哇！"意思是已经度过那一段可怕的日子了。

人们又开始重新建设自己美丽的小村子。

为了防止"年"在闯进家乡，人们还模仿那敲盆的声音，发明了爆竹。每年农历的最后一天和第一天，人们都要放爆竹，互相拜年。

Como el padre se había imaginado, Nian, en cuanto escuchó ese ruido, le entró un miedo atroz. Pensó que sería un monstruo mucho más grande que él, así que, sin volver la cabeza, comenzó a correr... correr... y correr, sin parar hasta muy lejos, más allá de la gran montaña... y ya no se atrevió a regresar a la pequeña aldea nunca más.

La familia que había quedado en la aldea se puso muy contenta, porque no sólo no habían tenido que abandonar su casa, sino que, además, habían logrado hacer correr al malvado Nian.

Entonces, pensaron que lo mejor era llevar esta buena noticia a todas las demás familias que habían huido de la aldea; éstas, al saberlo, se llenaron de júbilo, porque al fin podían volver nuevamente a sus casas. Cuando se encontraron lo primero que se dijeron fue: ¡Ya pasó Nian! Que quiere decir: ya se fue, ya no está el monstruo que nos aterraba.

Todos los aldeanos comenzaron a reconstruir nuevamente su bella aldea. Después, para impedir que regresase nuevamente Nian a invadirla, la gente, imitando el ruido que hacía la vasija de cobre al caer o golpearla, inventaron los petardos.

Por eso, ahora cuando cada año, según el calendario chino, llega el último y el primer día del año, toda la gente lanza petardos, y se visitan mutuamente para felicitarse.

还有最重要的是，别忘了拜年的时候说一声：

"过年好！"

拜了年，说：

"过年好"，那么，这一年就会平平安安，快快乐乐。

Pero hay una cosa muy importante, que no debe olvidarse, cuando llega el fin de año hay que decir en alta voz: ¡Buen paso del año![48]

Porque cuando se felicita el año nuevo y se desea: «Que tengas buen paso de año», se quiere decir con ello que, en esa noche y en ese año, puedas disfrutar de mucha paz y alegría.

---

48. 过年好 *Guo nian hao*. Es decir que pases bien la noche, (del monstruo 年 Nian) de fin de año. Que es igual que decir en Occidente «Feliz año».